Mi cocina
para la belleza

HISPANO
EUROPEA

MARIE BORREL

Mi cocina
para la belleza

20 productos esenciales
40 recetas sencillas y apetitosas

LA ALIMENTACIÓN: FUENTE DE SALUD

Fotografías : Michel Langot

ÍNDICE

El viaje del explorador no consiste en descubrir tierras nuevas sino en saber mirar con otros ojos.

MARCEL PROUST

En busca del tiempo perdido

PRÓLOGO

Apasionado de la nutrición durante casi treinta años, es para mí un placer y un honor escribir el prólogo de esta colección. Un placer porque la nutrición está en el centro de todas las investigaciones que he llevado a cabo en numerosos ámbitos (obesidad, inmunología, cancerología, enfermedades degenerativas…). Un honor porque Marie Borrel forma parte de esos profesionales de la escritura que pueden presumir de buena pluma y que saben transmitir mensajes con el corazón y con el espíritu. Todo eso es necesario para que el público aprenda, comprenda y pueda integrar realmente nuevos hábitos alimentarios en su vida cotidiana. Toda forma de conocimiento es preciosa y fundamental cuando se trata de conseguir que las mentalidades evolucionen.

Puede parecer extraño que un médico especialista, neurobiólogo, haya asociado la nutrición a todos sus programas de investigación. Pero todo se comprende con facilidad si pensamos que los alimentos y el acto de nutrirse han sido considerados sagrados durante más de diez mil años. Ninguna prescripción médica se ha llevado a cabo jamás sin las recomendaciones dietéticas correspondientes. En ocasiones, incluso el «régimen alimenticio» es el único tratamiento prescrito.

«Que tu alimento sea tu primer medicamento» decía Hipócrates, padre de la medicina moderna. Glorificamos su nombre pero olvidamos demasiado pronto sus conceptos, fundamentales para mantener la buena salud. Hemos banalizado la comida: hace más de medio siglo que esta forma parte de una estrategia de *marketing*; actualmente tratamos los alimentos como elementos externos a nuestra conciencia del mundo.

Sin embargo, la alimentación nos crea, nos impregna y nos educa. Es lo que comemos lo que nos permite desarrollarnos, renovarnos, mantener la extraordinaria maquinaria de nuestro organismo. Hay que entender que la manera de alimentarse, la forma de crear platos, de asociar alimentos para conseguir recetas sabrosas y equilibradas, adaptadas a diferentes situaciones y a los problemas de la vida diaria, influyen directamente en nuestra salud física y mental, en nuestro bienestar y en nuestra vitalidad. Marie Borrel propone, en esta colección, consejos prácticos y recetas simples para reanudar el hábito de la nutrición saludable y, sobre todo, la nutrición que nos haga felices. No lo olvidemos nunca: somos lo que comemos y lo que pensamos. Espero que estas recetas nutran vuestros cuerpos y vuestras almas, alimentando la alegría de vivir. Este es, sin duda alguna, el objetivo de la presente colección. En cualquier caso, me permito deseároslo de todo corazón.

DR. YANN ROUGIER

INTRODUCCIÓN

>>> ## Las claves de la alimentación para la belleza

La belleza todos quisiéramos tenerla por igual, como si una hada madrina particularmente equitativa tuviera por único cometido ir agitando su varita mágica sobre todas las cunas del mundo. Pero la verdad es que si hay algo mal repartido en el mundo es la belleza. Y no se trata de una constatación, sino de un criterio objetivo. La belleza es el resultado de una alquimia íntima a base del equilibrio de rasgos y la elegancia en la silueta, pero también de la luz que irradiamos, de la intensidad interior. No es posible, salvo con la ayuda de un bisturí y un buen cirujano, modificar nuestros rasgos, pero podemos hacer mucho por lo que irradiamos, por nuestra luz. Las herramientas que nos permiten conseguirlo son el control del estrés, la higiene de vida, la buena salud y, sobre todo, una alimentación adaptada a las necesidades de nuestra piel, nuestro cabello y nuestras uñas.

>>> ### La belleza con el paso de los años...

La belleza no es solamente el resultado de un cuidadoso «enyesado» matutino consistente en extender sobre nuestras fatigadas pieles, estresadas y a menudo desnutridas y deshidratadas, mascarillas perfumadas y ungüentos carísimos. El resplandor personal no se fabrica a golpe de cremas y maquillajes, ni de modas ni de perfumes. El resplandor es la expresión de un delicado equilibrio que se opera en las capas profundas de la piel y en las bambalinas de nuestra mente.

A esto se añade una dimensión social de la belleza. Cada época instaura cánones a los que las mujeres particularmente deben responder para parecer hermosas a los ojos de los demás. Así, desde el siglo XX las mujeres han tenido que ir ocultando sus formas voluptuosas para conseguir una figura cada vez más esbelta, sacrificando en muchas ocasiones su propia salud y despreciando por completo su realidad biológica. Tiempo atrás, nuestros ancestros llegaban más lejos aún con medidas absolutamente radicales, como en Japón por ejemplo, donde las más bellas del momento se aplicaban en los dientes una mezcla de sake, vinagre, plantas diversas y limaduras de hierro para conseguir una dentadura completamente negra, que era el no va más de la elegancia. En la Francia del siglo XVI, muchas mujeres se depilaban la frente, en el nacimiento del cabello, para tenerla más grande.

MILAGROS Y LÍMITES DE LA CIRUGÍA ESTÉTICA

Las intervenciones quirúrgicas deberían reservarse para casos bien concretos. Si bien retocarse una nariz poco agraciada, pegarse las orejas a la cabeza, eliminar las patas de gallo o reducir unos senos hipertrofiados puede tener efectos positivos, no hay que buscar milagros. La cirugía estética puede corregir defectos físicos muy visibles, pero no puede corregir las alteraciones de la propia imagen que hacen que nos veamos como ranas o sapos repelentes, aunque en realidad seamos príncipes y princesas encantadores.

A partir del XIX, muchas mujeres se han extirpado las costillas flotantes para obtener una cintura más pequeña.

Afortunadamente, esas mutilaciones ya no se practican en Occidente. La belleza se cultiva de una manera más sana. La ciencia ha descubierto los secretos de la piel, de las uñas y del cabello. Hoy sabemos qué necesitan esos tejidos, según su naturaleza, para estar tonificados y luminosos o sólidos y resistentes. La belleza es un «grito» que llega desde el interior. Gestionar mejor el estrés, calmar las emociones, oxigenar el organismo y, sobre todo, adaptar la alimentación a las verdaderas necesidades es lo que se necesita para tener ese resplandor que no tiene precio, lo que le da a una cara un atractivo irresistible.

>>> La piel: un órgano en sí mismo

Lo primero que los demás ven de nosotros es la piel. Lejos de ser un simple envoltorio, constituye un órgano en sí mismo, de hecho, el más voluminoso de todos. La piel de un individuo adulto cubre alrededor de dos metros cuadrados y pesa unos tres kilos. Cumple muchas funciones. Nos protege contra los enemigos externos y es un obstáculo para montones de microbios, creando una muralla difícil de franquear entre el mundo exterior y nuestro propio mundo interior. Sin embargo, la piel no siempre es impermeable. Si bien es verdad que impide que nuestros fluidos internos se escapen, se abre mediante los poros para liberar sudor cuando tenemos calor. Del mismo modo, por los poros pueden entrar en el interior del organismo sustancias terapéuticas (pomadas, ungüentos, aceites esenciales, parches cutáneos…). Esta característica excepcional no es la menor de sus ambigüedades.

La piel es un órgano sensorial mayor gracias a la que recibimos innumerables informaciones sobre el mundo exterior: temperatura, humedad, consistencia de la materia… También nos previene del peligro gracias a sus receptores de dolor. Cuando algo nos pica o nos quema, es la piel la que nos avisa del peligro para que huyamos. Pero eso no es todo. Nuestro envoltorio colabora con las defensas inmunitarias y contribuye al mantenimiento de nuestro equilibrio hormonal. Sirve como reserva mineral y participa en la oxigenación del organismo, contribuyendo a la respiración. Gracias a las informaciones recogidas por la piel, nuestro organismo puede adaptar continuamente la temperatura interior a la exterior, actuando mediante el grado de dilatación de los vasos sanguíneos cutáneos. Nuestra piel no deja nunca de trabajar, tanto de día como de noche.

LOS BENEFICIOS DE LA ARCILLA

Esta tierra natural es un verdadero producto de belleza con virtudes absorbentes. Cuando se extiende por el rostro la pasta de arcilla, esta arrastra las impurezas y las elimina. La piel se vuelve más clara y luminosa. Para preparar una mascarilla, basta con mezclar el polvo de arcilla (verde o rojo, como prefiramos) con agua tibia hasta obtener una pasta, que se extiende por la cara y se deja actuar unos veinte minutos antes de retirarla con agua fresca. Quien tenga la piel seca, puede mezclar la arcilla con un poco de aceite vegetal (germen de trigo, onagra…) o con una cucharadita de manteca de karité.

Una estructura muy ingeniosa

Para orquestar tantas funciones, nuestra piel dispone de una estructura compleja. Se compone de tres capas: en la superficie está la epidermis, en medio la dermis y abajo la hipodermis.

La epidermis está constituida por capas de células apiladas como los ladrillos en una pared. Las células cutáneas nacen en la capa más profunda de la piel y van remontando lentamente hasta la superficie, siempre empujadas hacia arriba por el nacimiento de nuevas células. Mientras van haciendo su camino ascendente, se llenan de queratina, una sustancia fibrosa que asegura la solidez de la piel, del cabello y de las uñas. Una vez llegadas a la superficie, pierden su núcleo, mueren y caen como fruta madura. La epidermis contiene, además, otras células con funciones especializadas: los melanocitos, responsables de la coloración de la piel; las células de Merkel, que participan en la sensibilidad táctil; las células de Langerhans que contribuyen a las reacciones inmunológicas...

A lo largo de su vida, estas células necesitan ser nutridas para cumplir correctamente con todas sus funciones. Ese es el rol de la dermis. Como la tierra que nutre un campo de trigo en crecimiento, la dermis aporta a las células cutáneas el alimento necesario mediante una red de finísimos vasos sanguíneos que aporta oxígeno y nutrientes. La dermis también encierra una red de terminaciones nerviosas que transmite las informaciones que le llegan a través de los receptores sensoriales. Todo ello está protegido con un tejido de fibras de colágeno que confiere al conjunto flexibilidad y solidez. Finalmente, bajo la dermis se encuentra la tercera capa o hipodermis, que no es sino una capa de reservas energéticas en forma de grasa.

Para que la dermis pueda jugar su papel de terreno fértil y nutricio, es necesario que la sangre le aporte cantidades suficientes de nutrientes. Vitaminas, minerales, ácidos grasos esenciales, aminoácidos o glúcidos complejos deben ser aportados regularmente y en las justas cantidades a través de la alimentación, pues de lo contrario el terreno se vuelve baldío.

¡Alto al estrés!

La piel es el primer órgano sensorial que alcanza toda su madurez en el útero, antes del nacimiento. Durante nuestras primeras semanas de vida, protegidos por el entorno materno, es la piel la que nos proporciona las primeras sensaciones ante las cuales reaccionamos. Y esa precocidad nos marca para siempre: a lo largo de toda nuestra existencia, la piel mantiene una estrecha relación con las emociones. Para convencernos de ello, basta con constatar la rapidez con la que nos ponemos rojos cuando nos ataca la ira o la palidez extrema cuando el miedo se apodera de nosotros. Del mismo modo, el estrés nos da un tono ligeramente gris y el cansancio que lleva asociado dibuja bajo nuestros ojos unas feas aureolas oscuras que llamamos ojeras. La piel y la psique están íntimamente relacionadas desde nuestra concepción. La epidermis se desarrolla a partir del mismo pliegue embrionario que el cerebro y dichos tejidos continúan comunicándose hasta el último instante de nuestra vida.

El estrés, la tensión nerviosa, la fatiga psíquica y las emociones violentas son, por lo tanto, enemigos de la belleza y el buen aspecto. Pero esos monstruos antiestéticos pueden mantenerse a raya, bien lejos. ¡El reposo mental es una de las primeras recetas de belleza que hay que poner en práctica! Cualquiera que sea la distribución del tiempo en la vida de una persona, siempre pueden encontrarse unos minutos para relajarse, dejarse llevar por pensamientos positivos, respirar lenta y profundamente, conseguir disminuir la presión interior... Del mismo modo que nos encontramos mucho mejor físicamente tras una noche de sueño reparador, el resplandor de la piel se puede recuperar tras un paréntesis de relajación mental.

>>> **Aire y agua**

La piel reclama otro cuidado permanente que nada tiene que ver con los cosméticos y sus marcas: necesita estar perfectamente hidratada. Pero, diréis, ¡eso es justamente lo que proponen las cremas y las mascarillas de belleza! Es verdad. Pero la hidratación externa, que es lo que consiguen los cosméticos, no basta. Las cremas solo consiguen hidratar las capas superiores de la epidermis, que no son ni de lejos las más importantes de la piel. Lo que la piel necesita es hidratación en profundidad, desde el interior. Un consumo regular y suficiente de agua permite conservar la elasticidad de las capas profundas de la piel evitando la sequedad de las células. Se estima que un litro y medio de agua al día suele ser suficiente. Pero esta estimación solo es una media, no la norma para todo el mundo, porque las necesidades de agua varían de una persona a otra y según las circunstancias: la estación del año, el calor que haga, la actividad física que hagamos, el entorno… Cada metabolismo es único y las necesidades de agua no son las mismas para todo el mundo. Una cosa es segura: hay que beber regularmente cualquier tipo de líquido sano en pequeñas cantidades y a lo largo de todo el día. Además, hay que beber antes de llegar a tener sed y no esperar a sentirla, porque la sed no es más que un indicador de deshidratación ya presente. Un aporte regular de líquidos favorece la eliminación de los deshechos metabólicos, lo cual permite a nuestras células cutáneas respirar mucho mejor. Parte del aire que respiramos entra a través de la piel. Al mismo tiempo, el aire que respiramos llena nuestros pulmones y permite a las células oxigenarse. Cada vez que inspiramos y exhalamos estamos favoreciendo la luminosidad de nuestra piel. Una vez más, la piel juega a dos bandas, la exterior y la interior, dos ámbitos complementarios e indisociables para ella.

>>> ¡Cuidado con el sol!

Entre los enemigos de la piel, y por lo tanto de la belleza, figuran el tabaco que intoxica el organismo y vuelve la piel fea, el cansancio que la marchita, la falta de sueño… y sobre todo el sol. El sol, paradójicamente, es un enemigo feroz al mismo tiempo que es indispensable para que vivamos. Necesitamos de su luz para que funcione el ritmo de nuestros relojes biológicos y se regulen las secreciones neurohormonales responsables de nuestro estado de ánimo. Los rayos solares nos permiten sintetizar la preciosa vitamina D, sin la cual seríamos tan frágiles como el cristal…

Sin embargo, las largas exposiciones al sol nos envejecen y provocan ciertas enfermedades dermatológicas, ocasionalmente muy graves, como el cáncer. Nuestra piel cambia de color con la exposición al sol gracias a los melanocitos que tiene. Estas células fabrican un pigmento, la melanina, que nos intenta proteger contra algunos rayos solares nocivos. Pero del mismo modo que un cierto tono bronceado nos protege contra quemaduras debidas a los rayos infrarrojos, otros rayos continúan penetrando hasta el corazón mismo de las células, dañándolas de forma irreversible. Son los rayos ultravioletas, responsables entre otras cosas del aumento del cáncer de piel en los últimos años. Por eso hay que ser extremadamente prudentes con el sol: no exponerse nunca en las horas de máxima insolación, utilizar siempre cremas suficientemente protectoras, renovar su aplicación cada dos horas, acostumbrarse a llevar sombreros y gafas de sol…

PROBEMOS LOS ACEITES ESENCIALES

Los elixires florales son diluciones naturales de flores con una acción muy sutil. Están destinados a corregir nuestros estados de ánimo: miedo, cólera, timidez, agresividad, angustia… Participan en la lucha contra el insomnio suavizando las emociones que perturban nuestras noches. El elixir de genciana, por ejemplo, calma la tristeza mental de los pesimistas angustiados. El carpe blanco o europeo refuerza la energía física de las personas cansadas de tantos problemas. El escleranto calma la ansiedad de los indecisos y ayuda a tomar decisiones.

El sol no es el único acelerador del envejecimiento. La contaminación también afecta, como el tabaco o el estrés. Eso sin hablar del paso natural del tiempo, claro. El envejecimiento celular es un proceso natural y normal. Con el paso de los años, el proceso de renovación celular se va ralentizando tanto en la piel como en el resto del cuerpo. La epidermis se vuelve más fina, el colágeno y la queratina disminuyen, van apareciendo esos surcos a los que llamamos arrugas y la piel pierde elasticidad descolgándose.

No podemos parar este fenómeno tan natural como la vida misma. Lo único que podemos hacer es ralentizarlo. Por lo menos podemos frenar su aceleración desmesurada. El envejecimiento celular es debido, entre otras cosas, a la producción de radicales libres, unas partículas «locas» de vida muy corta que estropean las células sanas que tocan a su paso. Cuando se producen en cantidades muy grandes, dichos radicales libres aceleran el proceso de envejecimiento de manera inoportuna, dañando tanto las membranas celulares como los núcleos mismos, que contienen el DNA. Afortunadamente, contamos con blindajes contra los radicales libres. Para que dichos protectores naturales sean realmente eficaces, lo primero que deberemos hacer es eliminar sus aceleradores (estrés, tabaco, sol…), y después aumentar el aporte de ciertos nutrientes (vitaminas y minerales) esenciales para la protección. ¡Una vez más la alimentación tiene una gran importancia para la conservación de la belleza!

Todo eso sirve para la piel. Pero la piel no es el único elemento a cuidar para estar guapos. El cabello y las uñas deben ser objetos de nuestra atención. Si bien los cuidados externos juegan un papel importante en su mantenimiento, la alimentación tiene, igualmente, la última palabra. Tanto el bulbo del cabello como la matriz de las uñas utilizan vitaminas y minerales para que su incesante crecimiento sea lo más sano posible. Todos llevamos en la cabeza entre 100 000 y 150 000 hebras finas, constituidas por queratina en gran parte. El pelo tiene una constitución próxima a la de la piel: en el centro tiene una médula casi incolora; por encima, una capa de melanina responsable de la coloración natural del cabello; y en el exterior hay una capa de escamas microscópicas, denominada cutícula, que está permanentemente lubricada con sebo. Esta materia grasa producida por el cuero cabelludo es esencial para la calidad del pelo, pero además debe ser producida en cantidades razonables. Con poca grasa, el cabello está frágil, mate y reseco; demasiada grasa y el pelo se vuelve pegajoso y de aspecto poco aseado. El crecimiento del cabello, su espesor, su fuerza y su brillo dependen de ciertos nutrientes. La calidad y el equilibrio de la alimentación se reflejan rápidamente en nuestra cabellera.

Lo mismo ocurre con las uñas. A pesar de su aspecto sólido, son tejidos vivos que necesitan ser alimentados correctamente para estar bonitos. Ese blindaje que protege la punta de los dedos está hecho fundamentalmente de queratina. Se necesitan de cuatro a seis meses para que una uña se renueve completamente. Dicho crecimiento ininterrumpido no puede darse si no es bajo condiciones adecuadas, de modo que la matriz de la uña disponga de suficientes vitaminas y minerales para crecer sana. De lo contrario, las uñas se vuelven frágiles y se rompen, se vuelven amarillentas, les salen estrías o se deforman...

>>> Los gestos naturales de la belleza

Cualquiera que sea el capital de belleza recibido al nacer, cada uno de nosotros puede hacerlo fructificar cotidianamente. Más allá de las habituales reglas de higiene de vida, los gestos de belleza son nuestros mejores aliados: desmaquillarse la cara cada noche, si nos la maquillamos, claro; nutrir la piel con productos naturales; hidratar el cuerpo con cremas o aceites para evitar la pérdida de elasticidad cutánea; cepillado habitual del cabello y aplicación de mascarillas periódicas; cuidar las uñas con manteca de karité para reforzar su estructura... Y, desde luego, adoptar una alimentación específica para mantener la belleza, cosa que completará, desde el interior, todos estos gestos externos.

>>> La alimentación para la belleza

La alimentación para la belleza es, ante todo, una alimentación sana, fresca y variada. Las células de la piel, del cabello y de las uñas necesitan gran variedad de nutrientes que están disponibles en los productos frescos y no tanto en los industriales.

Intentemos limitar el consumo de platos precocinados. Si no tenemos tiempo para hacer la compra cada día o para guisar diariamente, podemos emplear conservas no precocinadas y alimentos congelados en crudo, que son rápidos de preparar pero no llevan aditivos ni conservantes que perturban el buen funcionamiento del organismo. Para los que tienen tiempo de comprar y

LA REINA KARITÉ Y LA PRINCESA ALOE

Entre las plantas que benefician nuestra belleza, hay dos que se llevan la palma. La manteca de karité es una pasta que sale de los frutos de un árbol que lleva ese mismo nombre. La manteca de karité contiene fitoesteroles que aceleran la regeneración de las células cutáneas, así como ácidos grasos esenciales que aseguran la elasticidad de la piel y su suavidad. El aloe vera, por su parte, es un gel que se extrae de los tejidos de esa planta grasa, en donde concentra mucha agua para protegerse de la sequedad del desierto en que habita. Su savia posee un poder hidratante incomparable y encierra sustancias cicatrizantes.

cocinar, el abanico de posibilidades es más que amplio y la alimentación específica para la belleza satisfará los paladares de los más exigentes.

>>> Los nutrientes de la belleza

Estos son los principales nutrientes que necesitan la piel, el cabello y las uñas para conservar el mayor tiempo posible una buena calidad y una estructura sólida.

>>> Los glúcidos

Las células sacan la energía del azúcar. Como todas las células del organismo, las de la piel y de las faneras (es así como se denominan uñas y cabello) necesitan energía para funcionar. La alimentación para la belleza, pues, aporta una cantidad de glúcidos importante para mantener el tono general, dado que la fatiga es un enemigo feroz de la belleza. En este sentido, más vale priorizar los alimentos que contienen azúcares lentos (pasta integral, arroz integral, pan integral, legumbres, fruta fresca…) que se asimilan lentamente, evitando los picos de azúcar provocados por los azúcares rápidos (caramelos, pasteles, bollería…).

>>> Las proteínas

Para empezar, son indispensables para la renovación de la masa muscular. Pensemos que un cuerpo tonificado y ligeramente musculado es más elegante que un cuerpo fláccido y blando. Y además, lo que es más importante, ciertos aminoácidos contenidos en las proteínas contribuyen directamente a mejorar la calidad de la piel, del cabello y de las uñas. Es el caso de la cisteína, por ejemplo. No solo participa en la formación del glutatión (uno de los principales blindajes contra los radicales libres), sino que es indispensable para el crecimiento de cabellos y uñas. Y contribuye a la flexibilidad de la piel y previene la formación de arrugas. Todas las proteínas son buenas en sí mismas: las de carnes, pescados, aves, huevos, lácteos… Pero no conviene abusar de ellas porque suelen asociarse a gran cantidad de grasas saturadas (quesos, embutidos, carnes grasas…).

>>> Los lípidos

Contrariamente al discurso de los médicos, que se ha mantenido en vigor durante muchos años, ahora sabemos que los lípidos son indispensables para nuestras células. Y esto es particularmente cierto para las células cutáneas. Pero no valen todas las materias grasas. A la piel le gustan las grasas de

ACEITES VEGETALES PARA LA BELLEZA

Algunos aceites vegetales, incluso los no comestibles, constituyen un elemento nutriente buenísimo para la piel y el cabello. Podemos usarlos como base y añadirles aceites esenciales. También podemos usarlos puros, como tratamiento de noche. Aceites como los de jojoba y de aguacate son muy nutritivos y convienen a las pieles y los cabellos secos, mientras que aceites como los de soja o albaricoque, más ligeros, convienen a pieles y cabellos grasos. Los aceites de germen de trigo, de almendra dulce y de onagra son tan equilibrados que van bien para todo tipo de pieles.

los ácidos grasos insaturados, fundamentales para conservar su flexibilidad y la permeabilidad de las membranas. Un buen aporte de aceites vegetales, preferentemente crudos, y de frutos secos, permite mantener una piel flexible y garantiza un funcionamiento metabólico óptimo. Por el contrario, debemos evitar demasiadas grasas de origen animal.

>>> Las vitaminas

Estas sustancias, a menudo presentes en muy pequeñas cantidades en todos los alimentos, resultan esenciales para nuestra salud. También son indispensables para el mantenimiento de la belleza.

La vitamina A y los betacarotenos

Pocos alimentos contienen vitamina A, pero muchos encierran betacarotenos, una sustancia que el organismo transforma en vitamina A a medida que la va necesitando. ¡En cuestiones de belleza esta necesidad es grande! Esta vitamina es uno de los tres grandes antioxidantes que nos protegen contra el envejecimiento. Activa la renovación celular y participa en la calidad de cabellos y uñas. La encontramos en la mantequilla y en todas las frutas y hortalizas de color naranja.

La vitamina C

Su papel en el buen aspecto de cabellos y uñas es escaso, pero actúa especialmente en la piel. Altamente antioxidante, la vitamina C acelera la cicatrización en casos de lesiones cutáneas. También tiene efectos desintoxicadores, ayudando al organismo a desembarazarse de sustancias tóxicas (como las relacionadas con el tabaco y la contaminación) que perturban el buen funcionamiento de la piel. La encontramos en la fruta y las hortalizas.

La vitamina E

Es la tercera gran vitamina antioxidante que nos protege contra los radicales libres y retarda el envejecimiento celular. Interviene también en la cicatrización de pequeñas quemaduras y heriditas de todo tipo. La encontramos en los aceites vegetales crudos, en los aguacates, en los frutos secos...

Las vitaminas del grupo B

Juegan un papel muy importante, cada una de ellas con una acción particular. Las vitaminas B2 y B6, por ejemplo, intervienen en la seborrea de la piel y los cabellos. La vitamina B9 contribuye al equilibrio global de la piel como órgano y regula las emociones, que se reflejan inmediatamente en la cara. La B5 y la B1 favorecen el crecimiento de los tejidos. La B8 frena la caída del cabello. Todas son indispensables para la calidad y el crecimiento del pelo. Encontramos estas vitaminas en los cereales integrales, en algunas carnes, en algunas hortalizas…

>>> Los minerales y los oligoelementos

El zinc

Es un agente esencial para la cicatrización. Favorece el crecimiento celular y previene la aparición del acné. Mejora la resistencia a las alergias cutáneas. Encontramos zinc en buena cantidad en moluscos y crustáceos.

El calcio

No solo garantiza la solidez de nuestros huesos, como todo el mundo sabe, sino la suavidad y el equilibrio de la piel. Permite, además, conservar mucho tiempo los dientes sanos. Lo encontramos en los lácteos y en la verdura verde.

El magnesio

Es el mineral antiestrés por excelencia, que ayuda a protegerse contra la acción de la tensión nerviosa, la cual repercute inmediatamente en nuestra luminosidad. Contribuye a la solidez de las uñas y, en menor medida, del pelo. Lo encontramos en los cereales integrales, en el germen de trigo y en el chocolate.

El potasio

Asociado con el sodio (que consumimos naturalmente en abundancia), este mineral asegura el equilibrio hídrico de nuestro medio interno. Es muy importante para la hidratación de la piel y la eliminación de las toxinas. Frutas y hortalizas son ricas en potasio.

El hierro

Contribuye a la alimentación y oxigenado de las células porque es un ingrediente básico de la hemoglobina, que transporta este metal precioso en la sangre. Como la carencia de hierro se refleja en la cara por la palidez excesiva, su consumo regular y suficiente nos asegura un bonito color de cara. El hierro está en las carnes rojas y en algunas legumbres.

El cobre

Es importante especialmente para las personas que tienen reacciones cutáneas, como las alergias, porque permite regular la reactividad de la piel. Lo encontramos en la hortaliza y en el marisco.

El selenio

Forma parte de la muralla básica antioxidante asociada a las vitaminas A, C y E. Contribuye a la solidez de las uñas y previene la caída del cabello. Finalmente, ayuda al organismo a deshacerse de sustancias contaminantes, como los metales pesados relacionados con la contaminación ambiental. Lo encontramos en los cereales integrales, algunos frutos secos y ciertos pescados y crustáceos.

>>> La cocina para la belleza

Ahora solo nos falta ponernos manos a la obra en los fogones. No lo dudemos: hay que inventar, atreverse con cosas nuevas, crear mezclas de sabores a partir de alimentos que contengan estos nutrientes indispensables. Pensemos también en las especias y en las hierbas aromáticas, que nos permitirán variar los sabores de ciertos platos aportando sus beneficios particulares en materia de belleza. Solo tendremos que evitar cometer algunos errores. Para empezar, no debemos pelar las hortalizas mucho tiempo antes de cocinarlas para evitar que se llenen de agua cuando las lavemos. Lo mejor es un enjuagado rápido en agua fresca y corriente, una preparación en el último momento cuando vayamos a consumir la hortaliza cruda para evitar fenómenos de oxidación.

Por otra parte, evitemos las cocciones largas y fuertes. Gran parte de los nutrientes resultan dañados con el calor. Evitemos también las frituras, los asados a llama viva y los estofados a fuego fuerte. Prioricemos la cocción al vapor suave, los estofados a fuego lento y los horneados suaves. Además, estas formas de cocción preservan mejor los sabores de los alimentos. El placer gustativo se aliará así con el mantenimiento de la belleza.

RECORDEMOS LOS MASAJES

Por la mañana y por la noche mucha gente se pone crema hidratante en la cara. Aprovechemos para convertir ese gesto higiénico en un verdadero cuidado de belleza. Masajeemos el rostro empezando por la frente, dibujando en ella pequeños círculos con la yema de los dedos de arriba abajo y del centro hacia las sienes. Procedamos del mismo modo con las mejillas, estirándolas hacia las orejas. Demos toquecitos en el mentón y en la zona de la papada durante un minuto. Terminemos con el cuello, repasando bien la zona del mentón.

El TOP 20 de los alimentos para la belleza

10

11

12

13

14

15

16

17

18

19

20

>>>

LOS ALIMENTOS PARA LA BELLEZA

>>> El TOP 20 de los alimentos para la belleza

Como todos los tejidos del cuerpo, la piel, los cabellos y las uñas necesitan ser correctamente nutridos para conservar su juventud y vigor. Además del agua y el oxígeno, numerosos nutrientes, vitaminas y minerales escondidos en los alimentos resultan indispensables. Aportemos a la piel lo que nos reclama y nos lo agradecerá con un aspecto radiante. La belleza viene también del interior...

LAS HABAS TIERNAS

Virtudes para la belleza

>>> Como todas las células de la piel, las que constituyen el tejido de la misma y el bulbo del cabello necesitan carburante para funcionar. Las habas lo aportan en forma de glúcidos complejos o lentos, más fácilmente asimilables si los asociamos a la vitamina B1. Sus lípidos, aunque levemente presentes, están constituidos por ácidos grasos esenciales de calidad, que contribuyen a mantener una piel flexible. Las habas, por otra parte, contienen pequeñas cantidades de las tres vitaminas antioxidantes por excelencia (A, E y betacarotenos), que nos protegen contra los efectos del envejecimiento. En lo que a minerales se refiere, nos ayudan a mantener un tono rosado en la piel, ya que nos permiten evacuar deshechos metabólicos cuya acumulación da mal color de cara.

Consejos de utilización

>>> Las habas tiernas pueden consumirse crudas, a condición de que sean jóvenes. Pueden servirse como aperitivo con un poquito de sal. Si las preferimos cocidas, prioricemos cocciones cortas al vapor o estofados que conserven el sabor y los nutrientes. Algunas personas digieren mal las habas. En realidad, lo único indigesto es su envoltorio, su piel translúcida, que es más indigesto cuanto más grandes son las habas. Esta piel se puede retirar fácilmente tras la cocción al vapor.

Asociaciones

>>> Si queremos aprovechar bien el aporte proteico de las habas deberemos asociarlas a un cereal (arroz, trigo, sémola de trigo, pasta integral...) para que el plato contenga todos los aminoácidos necesarios. En ese caso, consideraremos las habas como un plato único, sin carne ni pescado de segundo plato.

Según la edad

>>> Gracias a su riqueza en hierro, las habas convienen a las mujeres, particularmente durante la menstruación. Los niños también se benefician de su aporte energético durante el crecimiento.

Composición

por cada 100 g de habas tiernas

calorías	64
glúcidos	10 g
proteínas vegetales	5,4 g
lípidos	0,3 g
fibras	5,5 g
agua	78 g
potasio	210 mg
fósforo	105 mg
magnesio	18 mg
hierro	2,3 mg
cobre	0,4 mg
vitamina C	30 mg
betacarotenos	0,1 mg
vitamina B1	0,3 mg
vitamina B2	0,2 mg
vitamina B3	1,8 mg
vitamina E	0,8 mg

LA PASTA INTEGRAL

Virtudes para la belleza

>>> Las vitaminas del grupo B, contenidas en la cáscara del grano de trigo, se encuentran en cantidades notables en la pasta integral. Son estas vitaminas las que le dan a la pasta el poder de la belleza. La vitamina B2, por ejemplo, contribuye a mantener el equilibrio del filtro hidrolípido que recubre nuestra piel, luchando al mismo tiempo contra la sequedad y el exceso de sebo. Las vitaminas del grupo B también están implicadas en la salud del cabello y las uñas. La pasta aporta selenio, que nos protege contra los radicales libres responsables del envejecimiento, especialmente si va asociado a la vitamina E. Finalmente, la pasta contiene glúcidos que transformamos en energía para las células cutáneas y fibras que mejoran el tránsito intestinal y la eliminación de deshechos.

Consejos de utilización

>>> La pasta puede consumirse caliente, con todo tipo de salsas, o fría en ensalada. Recordemos también que la pasta gratinada está deliciosa. Lo único esencial es hacerlas *al dente* para no alterar los glúcidos y conseguir una energía duradera.

Asociaciones

>>> La pasta se asocia bien con todo tipo de sabores. Casa estupendamente con especias y hierbas aromáticas, con sabores picantes, dulces, salados… Con ella podemos experimentar, inventar y dejar volar la imaginación. Pensemos siempre en rociarla tras la cocción con un chorrito de aceite crudo para aportar a la piel los ácidos grasos esenciales que conservan su flexibilidad.

Según la edad

>>> La pasta gusta a todo el mundo, a grandes y pequeños, y a los niños se les da a partir de los 12 o 18 meses. Es excelente para los adolescentes porque evita el consumo de azúcares rápidos, fuente de sobrepeso, y además ayuda a evitar la aparición del desagradable acné.

Composición

por cada 100 g de pasta cocida

(25 g de pasta seca)

calorías	120
proteínas vegetales	4 g
lípidos	1 g
glúcidos	22,5 g
fibras	3 g
agua	70 g
fósforo	89 mg
potasio	44 mg
magnesio	40 mg
calcio	12 mg
hierro	1 mg
selenio	0,03 mg
vitamina B2	1,5 mg
vitamina B3	0,7 mg
vitamina E	0,4 g
vitamina B1	0,15 mg
vitamina B9	0,005 mg

EL CALAMAR

Virtudes para la belleza

>>> Son las proteínas las que convierten al calamar en un alimento para la belleza. Están formadas por aminoácidos indispensables para la buena conservación de la piel, el cabello y las uñas. Es, por ejemplo, el caso de la cisteína, que contribuye a la flexibilidad de la piel y combate las arrugas. Su vitamina B3 participa en el mantenimiento del buen estado de las membranas celulares asociada con lípidos que también se encuentran en pequeñas cantidades y que contienen ácidos grasos esenciales de buena calidad. Un abanico de minerales contribuye a su acción de belleza: calcio, hierro, zinc, cobre... Incluso selenio, un gran antioxidante.

Consejos de utilización

>>> Evitemos freírlos porque este modo de prepararlos comporta inconvenientes tales como la destrucción de nutrientes y ácidos grasos con el calor excesivo. Lo mejor es saltearlos tapados en una sartén, con poco aceite, o prepararlos en salsa de tomate. Limpiar calamares lleva más tiempo cuanto más pequeños son. Lo que pasa es que es un esfuerzo que se ve recompensado por su incomparable sabor.

Asociaciones

>>> Cocinémoslos con tomate, pimiento, ajo y aceite de oliva; eso será un cóctel de belleza de primera. Si los calamares son grandes, podemos rellenarlos con pasta, cabeza trinchada y arroz, con carne picada o con verduritas troceadas. Algunas hierbas aromáticas le sientan mejor, particularmente el perejil, el ajo, el cilantro y la albahaca.

Según la edad

>>> Los calamares demasiado cocidos se vuelven gomosos, duros y difíciles de masticar. Las personas que no gocen de buena dentadura deberían tomarlos bien cortaditos y poco hechos.

Composición

por cada 100 g de calamar crudo

calorías	175
proteínas	18 g
lípidos	7,5 g
glúcidos	7,8 g
agua	65 g
calcio	39 mg
magnesio	38 mg
hierro	1 mg
zinc	1,8 mg
cobre	2 mg
selenio	0,05 mg
vitamina A	0,01 mg
vitamina B3	2,6 mg
vitamina B5	0,5 mg
vitamina B2	0,5 mg
vitamina B1	0,06 mg
vitamina C	4 mg

LAS OSTRAS

Virtudes para la belleza

>>> Las ostras son una extraordinaria fuente de zinc. Además de su acción cicatrizante, este oligo-elemento previene las erupciones cutáneas y disminuye las manifestaciones alérgicas. Por el contrario, la carencia de zinc provoca granos, dificultades para la cicatrización y poca resistencia a las alergias. Las ostras proporcionan también magnesio y calcio, que contribuyen a luchar contra el estrés y sus manifestaciones cutáneas (eczema, dermatitis…). Las vitaminas del grupo B están presentes en cantidades importantes, sobre todo las B2, B9, B3 y B1, todas ellas implicadas en la belleza de la piel, uñas y pelo. Finalmente, sus proteínas y sus ácidos grasos esenciales ayudan a preservar la flexibilidad de la piel.

Consejos de utilización

>>> Crudas, regadas con un chorrito de zumo de limón o con unas gotas de vinagre y acompañadas de pan con mantequilla, las ostras constituyen un plato completo. Si añadimos una ensalada o una fruta de postre, el menú será muy equilibrado. No dudemos en cocerlas ligeramente al horno, con un poco de nata líquida por encima o con alguna salsita perfumada. No es habitual tomarlas así pero son fáciles de hacer y muy agradables al paladar.

Asociaciones

>>> Se toman frías, en ensalada con cebolletas frescas o chalotas. También pueden consumirse calientes, pero en ese caso evitemos las salsas pesadas o las carnes grasas. Podemos prepararlas con pescado o con marisco e incluso con aves. Asociadas al arroz integral completan sus aminoácidos y permiten reconstituir las proteínas digestivas que asimilaremos fácilmente.

Según la edad

>>> Para apreciar las ostras el paladar tiene que estar ya bien entrenado. No es un alimento apreciado por niños y adolescentes. Pero una vez consumidas de mayores, se pueden tomar sin límite de edad porque son digestivas y fáciles de masticar.

Composición

por cada 100 g de ostras sin concha

calorías	68
proteínas	7 g
glúcidos	3,9 g
lípidos	2,5 g
agua	85 g
potasio	156 mg
fósforo	135 g
zinc	91 mg
magnesio	47 mg
calcio	45 mg
hierro	6,7 mg
cobre	4,5 mg
selenio	0,07 mg
vitamina C	3,7 mg
vitamina B3	1,4 mg
vitamina E	0,85 mg
vitamina B5	0,2 mg
vitamina B1	0,1 mg
vitamina B2	0,1 mg
vitamina B12	0,02 mg
vitamina B9	0,01 mg

LAS COSTILLAS DE CORDERO

Virtudes para la belleza

>>> La carne de cordero es una buena fuente de proteínas que participan en la regeneración de la piel, los cabellos y las uñas gracias a sus aminoácidos, como la cisteína. Estas proteínas colaboran en el proceso de regeneración celular. El cordero aporta hierro fácil de asimilar, que nos dará un bonito tono rosado. También es una buena fuente de zinc, indispensable para prevenir erupciones cutáneas tales como los granos, las dermatitis… Finalmente, el cordero aporta selenio, con su gran poder antioxidante.

Consejos de utilización

>>> Las costillas de cordero son razonablemente grasas, a condición de no consumir el borde graso. Deberemos comprar costillas muy limpias, para que solo tengan grasa en el borde y la podamos retirar. Si las hacemos a la plancha, pondremos muy poco aceite porque la grasita que desprenden los bordes de las costillas bastará. En la carnicería, podemos pedir una tajada de costillas sin cortar, para hacerlas al horno y separarlas luego en la mesa.

Asociaciones

>>> Si asociamos las costillas a hortalizas y frutos ricos en antioxidantes, como tomates, pimientos, cebollas o aguacates, obtendremos una eficaz cura antiarrugas. Como todas las carnes rojas, el cordero puede dar acidez. Si lo tomamos con hortalizas alcalinas, podremos restablecer el equilibrio interno.

Según la edad

>>> La carne de cordero es digestiva a condición de retirarle la grasa. Se puede ofrecer a los niños después de los dos años. Su riqueza en hierro la convierte en una aliada de las mujeres durante la menstruación.

Composición

por cada 100 g de cordero

calorías	190
proteínas	29 g
lípidos	7,5 g
agua	63 g
vitamina B9	0,03 mg
vitamina B3	6,3 mg
vitamina B5	0,7 mg
vitamina E	0,2 mg
hierro	2,2 mg
fósforo	206 mg
zinc	5 mg
cobre	0,2 mg
selenio	0,03 mg

EL POLLO

Virtudes para la belleza

>>> Las proteínas del pollo aportan a las células de la piel la cisteína que necesitan para renovarse. Así, contribuyen a mantener la flexibilidad cutánea. La cisteína también es importante para la calidad de uñas y pelo. Aunque esté presente en menor cantidad que en la carne roja, el hierro del pollo es fácilmente asimilable, lo que permite mejorar el aporte de oxígeno a las células cutáneas para darles un bonito color. Las vitaminas del grupo B participan en la regulación de la secreción de sebo, tan importante para la piel como para el cabello. El pollo también aporta un poco de cobre, el cual contribuye a frenar las manifestaciones alérgicas de la piel.

Consejos de utilización

>>> El pollo es una carne poco grasa, sobre todo si sabemos escoger los trozos adecuados: por cada 100 g la pechuga contiene 2 ó 3 g de lípidos. Si queremos ingerir el jugo de un pollo al horno, deberemos meter la bandeja una ratito en la nevera, a fin que la capa superior de grasa de dicho jugo se solidifique un poco y podamos retirarla fácilmente con una cuchara. El jugo restante es la mar de sano. También se puede usar una salsera de dos orificios, permitiendo que solo salga el jugo sin la grasa. Los restos de pollo se guardan para hacer croquetas o para cortarlos a tiritas y añadirlos a ensaladas y púdines. No olvidemos lo bueno que está el pollo en un buen caldo con verduritas: es un plato sabroso, completo y el caldo contiene todos los nutrientes.

Asociaciones

>>> Jamás hay que consumir la piel del pollo, por muy crujiente, doradita y deliciosa que nos parezca: en ella se concentra todo lo malo, las grasas nefastas, el colesterol y todo lo que puede obstruir las arterias. Lo mejor es tomar siempre el pollo pelado con hortalizas o cereales que aporten glúcidos: con pisto, con pasta, con arroz, con espinacas…

Según la edad

>>> El pollo conviene a todo el mundo porque se digiere bien y es muy nutritivo. Todos sus componentes son fácilmente asimilables.

Composición

por cada 100 g de pollo

calorías	100 a 140 según la porción
proteínas	29 g
lípidos	2,5 a 6 g según la porción
agua	70 g
potasio	350 mg
fósforo	200 mg
magnesio	20 mg
calcio	10 mg
hierro	2 mg
cobre	0,2 mg
vitamina B3	8 mg
vitamina C	4 mg
vitamina B2	0,2 mg
vitamina B1	0,1 mg

LOS HUEVOS

Virtudes para la belleza

>>> Las proteínas de los huevos son de muy buena calidad y contienen todos los aminoácidos indispensables. Permiten también a las células cutáneas reproducirse en buenas condiciones. La cisteína contenida en estas proteínas contribuye a la flexibilidad de la piel y a la solidez de las uñas y el pelo. Los huevos aportan vitaminas del grupo B, entre las cuales está la preciosa B2, tan necesaria para las uñas. Los huevos también nos llenan de vitaminas A y E, así como de selenio. Participan en el retraso del envejecimiento. Igualmente nos aportan calcio, indispensable para la suavidad de la piel y su elasticidad.

Consejos de utilización

>>> Evitemos los huevos fritos en gran cantidad de aceite, porque resultan indigestos. Para las tortillas y los huevos al plato, prioricemos sartenes antiadherentes y un aceite de buena calidad en poca cantidad. Lo ideal es tomar huevos pasados por agua si son muy frescos. Sus nutrientes quedan completamente protegidos por este modo rápido de cocción (3 minutos). Los huevos también sirven para hacer gratinados, flanes, cremas y muchas recetas dulces y saladas.

Asociaciones

>>> Podemos asociar los huevos a hortalizas y frutas ricas en vitamina C, como las espinacas, los pimientos rojos, los kiwis, las naranjas… Esta combinación cierra el círculo antioxidante.

Según la edad

>>> Si alguien sufre de exceso de colesterol, tendrá que reducir el consumo de huevos, porque lo contienen. Dos o tres huevos por semana es lo ideal.

Composición

por cada 100 g de huevos,
2 huevos de talla mediana

calorías	145
proteínas	12 g
lípidos	9,8 g
glúcidos	0,5 g
agua	76 g
vitamina A	0,14 mg
vitamina B9	0,07 mg
vitamina B5	2,1 mg
vitamina B2	0,43 mg
vitamina E	1,9 mg
calcio	50 mg
hierro	1,2 mg
magnesio	6,5 mg
selenio	0,03 mg

LA COL LOMBARDA

Virtudes para la belleza

>>> Muy rica en potasio, la col lombarda favorece la eliminación urinaria, lo que permite conseguir un bonito tono de piel. También contiene fibras que ayudan al tránsito intestinal. Es, por lo tanto, una buena amiga de la piel. Aporta vitaminas del grupo B, especialmente la B6, que ayuda a luchar contra el pelo graso. Esta hortaliza es una buena fuente de calcio asociado al fósforo, que mejora su asimilación. Tiene efectos positivos sobre la suavidad de la piel. Pero lo esencial no es eso. La col es un excelente parapeto contra los efectos de la edad gracias a sus vitaminas antioxidantes (C, E y betacarotenos) asociadas a sustancias protectoras como el licopeno.

Consejos de utilización

>>> Lo más común es poner la col lombarda cruda en las ensaladas. Y está muy buena, pero también puede cocerse. Estofada acompaña estupendamente carnes, aves y pescados. Al vapor, libera el delicioso aroma del licopeno, uno de los raros nutrientes que no se estropea con el calor.

Asociaciones

>>> La col lombarda casa bien con los frutos secos (nueces, piñones...) y con algunas frutas frescas como las manzanas. Podemos añadirlas tanto en ensaladas como en estofados. Su acción antioxidante será más importante si asociamos alimentos que contengan selenio, como los cereales integrales o el pescado.

Según la edad

>>> La col cruda tiene que masticarse muy bien, así que no debe ofrecerse a niños pequeños ni a personas mayores. Por el contrario, cocida va bien a todas las edades.

Composición

por cada 100 g de col lombarda cruda

calorías	22
glúcidos	3,5 g
proteínas vegetales	2,8 g
fibras	3,4 g
agua	87 g
potasio	293 mg
calcio	53 mg
fósforo	40 mg
magnesio	21 mg
hierro	0,5 mg
zinc	0,3 mg
vitamina C	80 mg
betacarotenos	3 mg
vitamina E	1,7 mg
vitamina B3	0,3 mg
vitamina B2	0,2 mg
vitamina B6	0,2 mg
vitamina B1	0,1 mg
vitamina B9	0,1 mg

Estas cifras constituyen una media, porque el contenido en nutrientes varía según la madurez de la col lombarda, el modo de cultivo, el período de recolección...

EL AGUACATE

Virtudes para la belleza

>>> La principal virtud de belleza del aguacate reside en la calidad de sus lípidos, que contiene en gran cantidad. Estos están constituidos por ácidos grasos insaturados y, particularmente, por los monoinsaturados, indispensables para mantener la calidad de las membranas celulares. Es una doble acción de belleza porque las membranas flexibles facilitan los intercambios metabólicos a nivel dérmico y mantienen la flexibilidad. El aguacate nos aporta mucha vitamina E, que participa en la protección contra los radicales libres responsables del envejecimiento de la piel. También tiene un poco de zinc y de hierro. El primero facilita la cicatrización de pequeñas heriditas, quemaduras o granitos. El segundo favorece la producción de hemoglobina, mejorando así la alimentación de las células y protegiéndonos de la palidez.

Consejos de utilización

>>> Existen numerosas variedades de aguacates, pero normalmente encontramos dos. Algunos son de color verde con la piel muy fina; otros son más oscuros, casi negros, con la piel gruesa y rígida. En ambos casos, escogeremos los que sean un tanto blandos, aunque no completamente maduros. A menudo se degusta crudo. Si es así, evitemos añadir materias grasas porque el aguacate ya contiene mucha. Un chorrito de limón o de vinagre balsámico bastará. También podemos hacer un puré rebajado con leche vegetal o zumo de limón que nos servirá para aderezar pescados blancos o filetes de pollo. Si preparamos los aguacates antes de ser consumidos, hay que regarlos con zumo de limón para que no se pongan negros al contacto con el aire y la luz.

Asociaciones

>>> Integremos los aguacates en las ensaladas, porque les dará un toque cremoso y un sabor dulce incomparable. El aguacate casa bien con hierbas aromáticas y especias: albahaca, cilantro, perejil, cebollino, jengibre, pimienta…

Según la edad

>>> Sus ácidos grasos contribuyen a prevenir las enfermedades cardiovasculares, característica interesante para todos los hombres y para las mujeres menopáusicas.

Composición

por cada 100 g de aguacate (1/2 aguacate)

calorías	138
lípidos	14 g
proteínas	1,8 g
glúcidos	0,8 g
fibras	3 g
agua	77 g
potasio	522 mg
fósforo	44 mg
magnesio	33 mg
calcio	16 mg
hierro	1 mg
zinc	0,6 mg
cobre	0,2 mg
vitamina C	11 mg
vitamina E	1,9 mg
vitamina B5	0,8 mg
betacarotenos	0,3 mg
vitamina B6	0,28 mg
vitamina B2	0,16 mg

El apionabo

Virtudes para la belleza

>>> Aunque es menos diurético que el apio, el apionabo forma parte de los alimentos que drenan. Contribuye a aclarar el tono de la piel y a prevenir las impurezas acelerando la eliminación de toxinas. Contiene, en pequeñas cantidades, un amplio abanico de nutrientes: calcio que suaviza la piel, zinc que facilita la regeneración celular, así como vitaminas del grupo B. En cuanto a las fibras, mejoran el tránsito, lo que facilita la eliminación intestinal de deshechos.

Consejos de utilización

>>> El apionabo se consume generalmente en ensalada con algún tipo de salsa contundente. Pero lo mejor es sazonar el apionabo con salsitas ligeras: vinagretas con aceite de avellana y vinagre balsámico, salsa de yogur con limón y hierbas aromáticas... Cocido al vapor, el apionabo permite preparar deliciosos purés cuyo sabor podemos variar incorporando elementos distintos tales como curry, comino, jengibre, pimentón... También podemos añadir el apionabo a los potajes, porque matiza sabores gracias a su toque ligeramente picante.

Asociaciones

>>> Esta es una hortaliza muy digestiva que podemos asociar con carnes, aves y pescados. Como entrante permite acompañar de forma ligera platos a base de pasta, de patatas o de judías.

Según la edad

>>> Crudo, el apionabo requiere ser muy bien masticado y por tanto se desaconseja para niños pequeños y personas mayores. En estos casos es mejor servirlo en puré.

Composición

por cada 100 g de apionabo crudo

calorías	42
proteínas	1,5 g
glúcidos	7,4 g
lípidos	0,3 g
fibras	1,8 g
agua	88 g
calcio	43 mg
magnesio	20 mg
hierro	0,7 mg
fósforo	115 mg
potasio	300 mg
zinc	0,33 mg
vitamina C	8 mg
vitamina B9	0,08 mg
vitamina B3	0,7 mg
vitamina B5	0,35 mg
vitamina B2	0,06 mg
vitamina B6	0,17 mg
vitamina E	0,36 mg

LA ZANAHORIA

Virtudes para la belleza

>>> Las zanahorias son una de las principales fuentes de betacarotenos, nutriente extremadamente importante para la belleza de la piel: contribuye a la conservación de la elasticidad, estimula el crecimiento y la regeneración del tejido cutáneo e interviene en la protección contra el paso del tiempo. Y además es una fuente de color suave para la epidermis. El betacaroteno se transforma en vitamina A en el organismo, la cual es importantísima para la belleza, la solidez de las uñas y el pelo. Las zanahorias contienen fibras que mejoran la eliminación intestinal de deshechos, contribuyendo a mejorar el color de la piel. Las vitaminas C y E, presentes en pequeña cantidad, refuerzan la acción antioxidante del betacaroteno creando así una auténtica barrera contra los efectos del envejecimiento. Un poco de vitaminas del grupo B, de calcio, de cobre y de zinc completan esta acción.

Consejos de utilización

>>> No hay que rallar las zanahorias crudas si no las vamos a consumir inmediatamente: aunque su betacaroteno no es frágil, algunos de sus nutrientes se oxidan con rapidez al contacto con el aire y la luz. Pensemos en los bastoncillos de zanahoria cruda para picar entre horas. La zanahoria es un tubérculo que concentra en su interior una gran parte de los productos químicos empleados para su cultivo, de manera que siempre será preferible comprarlas, si es posible, ecológicas. Cuando queramos cocer las zanahorias, escojamos una cocción suave, al vapor o estofada.

Asociaciones

>>> El betacaroteno es mucho más activo contra los radicales libres cuando lo asociamos a las vitaminas C y E. Por ejemplo, en una ensalada que lleve zanahoria rallada, el aguacate y los brotes de espinacas serán el acompañamiento perfecto para conservar la belleza.

Según la edad

>>> Las mujeres con tendencia a ganar peso (especialmente en el período menopáusico) deberían priorizar las zanahorias crudas; si se cuecen, deberán asociarse a otras hortalizas menos azucaradas, como los calabacines. En efecto, la cocción modifica la calidad de los azúcares contenidos en las zanahorias, haciéndolos mucho más rápidos.

Composición

por cada 100 g de zanahorias

calorías	40
glúcidos	6,7 g
proteínas vegetales	0,8 g
lípidos	0,7 g
fibras	3 g
agua	87 g
potasio	300 mg
calcio	30 mg
fósforo	25 mg
magnesio	14 mg
cobre	0,3 mg
zinc	0,16 mg
vitamina C	10 mg
betacarotenos	7 mg
vitamina E	0,6 mg
vitamina B3	0,5 mg
vitamina B5	0,24 mg
vitamina B6	0,15 mg

EL TOMATE

Virtudes para la belleza

>>> El tomate contiene mucha agua asociada al potasio, lo que lo convierte en una hortaliza muy diurética. Por tanto, favorece la eliminación de toxinas metabólicas cuya acumulación en los tejidos cutáneos da un tono grisáceo a la piel. También es una importante fuente de licopenos. Este pigmento es uno de los más eficaces para proteger las células cutáneas contra las agresiones de los radicales libres. Actúa en asociación con las vitaminas C, E y los betacarotenos, que contiene en pequeñas cantidades. Aporta igualmente un poco de zinc, hierro y calcio, que contribuyen a la salud de la piel y el cabello, especialmente si lo asociamos a otros alimentos que también contengan estos nutrientes.

Consejos de utilización

>>> Como quiera que se preparen, los tomates conservan siempre sus cualidades. Crudos, sus vitaminas y minerales se mantienen intactos. Cocidos pierden un poco de su contenido vitamínico, pero su licopeno es más fácilmente asimilado. Por lo tanto, podemos darnos el gusto de variar su preparación y tomarlos de todas las formas posibles. En verano podemos aprovechar para comer tomates crudos, sabrosos y carnosos. En invierno los podemos preparar al horno, hacer salsas, rellenarlos... No olvidemos añadirlos siempre a los potajes y estofados.

Asociaciones

>>> Aunque pueden tener un sabor ligeramente ácido, los tomates se vuelven alcalinos al entrar en el organismo. Ello permite neutralizar la acidez de las carnes rojas, por ejemplo, cuyo consumo regular perturba el equilibrio ácido-básico interno. Un filete de ternera o la carne de pato acompañados de tomates a la provenzal, por ejemplo, es un plato bien equilibrado.

Según la edad

>>> Todo el mundo puede disfrutar del tomate; los niños desde el momento en que diversifican su alimentación. Comamos tomates crudos en verano si tomamos el sol, porque su acción beneficiosa para la piel nos protege contra los rayos ultravioleta.

Composición

por cada 100 g de tomate crudo

calorías	15
glúcidos	2,8 g
proteínas vegetales	0,8 g
lípidos	0,1 g
fibras	1,2 g
agua	94 g
potasio	290 mg
fósforo	24 mg
magnesio	10 mg
calcio	9 mg
hierro	0,5 mg
zinc	0,2 mg
vitamina C	25 mg
vitamina E	1 mg
betacarotenos	0,8 mg
vitamina B3	0,6 mg
vitamina B5	0,3 mg

Las espinacas

Virtudes para la belleza

>>> Son verdaderas amigas de la belleza. Las espinacas son una mina de nutrientes que mantienen el buen aspecto y la salud de la piel, el cabello y las uñas. Su clorofila estimula el crecimiento de las células, mejorando la regeneración de los tejidos. Contienen muchos minerales como calcio, magnesio, zinc y hierro (aunque este menos asimilable que el hierro aportado por la carne)…

Las espinacas constituyen una importante fuente de vitamina C, indispensable para que el organismo sintetice el colágeno que asegura la firmeza cutánea. También aportan vitaminas del grupo B que aseguran la correcta regulación de las glándulas seborreicas, evitando el cabello graso, la piel brillante y los puntos negros. Estas vitaminas contribuyen igualmente a la calidad de las uñas, sobre todo si tienden a romperse.

Consejos de utilización

>>> Si las espinacas se consumen crudas, escogeremos las hojitas más pequeñas y tiernas. Es el mejor medio para aprovechar sus ventajas nutricionales. Si las vamos a cocinar, verifiquemos que las hojas no amarilleen ni estén lacias. Deben lavarse en agua corriente y luego cocerse al vapor o en estofado. Las espinacas congeladas conservan una gran parte de sus nutrientes. De lo único que debemos asegurarnos en este caso es de escurrirlas muy bien para que no nos queden los platos caldosos.

Asociaciones

>>> Casan bien con numerosos sabores. Quedan muy bien con lácteos: quesos frescos en ensaladas, salsa bechamel, nata líquida ligera y otras para las espinacas al horno o cocidas… Su sabor ligeramente acidulado soporta bien lo salado y lo dulce.

Según la edad

>>> El único inconveniente de las espinacas es que contienen ácido oxálico y ácido úrico. Se desaconsejan, por tanto, a personas con cálculos renales o infecciones urinarias.

Composición

por cada 100 g de espinacas crudas

calorías	18
glúcidos	2,7 g
proteínas vegetales	1,3 g
lípidos	0,3 g
agua	91,7 g
fibras	2,7 g
potasio	529 mg
calcio	104 mg
magnesio	58 mg
fósforo	52 mg
hierro	2,7 mg
zinc	0,6 mg
selenio	0,001 mg
vitamina C	50 mg
betacarotenos	4 mg
vitamina E	2,5 mg
vitamina B3	0,7 mg
vitamina B2	0,2 mg
vitamina B6	0,2 mg
vitamina B5	0,2 mg
vitamina B9	0,19 mg

EL PIMIENTO ROJO

Virtudes para la belleza

>>> Esta es otra importante fuente de vitamina C, cuya participación es esencial para la producción del preciado colágeno. Su vitamina C se asocia a un poco de vitamina E y betacaroteno, formando así el famoso trío antioxidante. El pimiento rojo también contiene licopenos, que protegen eficazmente contra las agresiones del tiempo. Sus vitaminas B2 y B6 contribuyen al equilibrio lipídico de la piel, previniendo puntos negros y cabellos grasos. Ligeramente diurético, el pimiento rojo acelera la eliminación de toxinas aclarando el tono de la piel.

Consejos de utilización

>>> Algunas personas digieren mal el pimiento crudo. En tal caso, basta con cortarlo a láminas finas antes de integrarlo en cualquier plato, previamente asado en seco y entero (en el horno por ejemplo) para que resulte más digerible. Igual que pasa con los tomates, el licopeno es más fácil de asimilar si está cocido, mientras que las vitaminas y minerales se mantienen intactos estando crudo. Alternemos pues ambos modos de ingerirlo.

Asociaciones

>>> Asado y sazonado con ajo, sal y aceite de oliva es uno de los platos más sencillos y deliciosos que hay, siendo al mismo tiempo un plato delicado y eficaz: el aceite de oliva aporta los ácidos grasos indispensables para la flexibilidad cutánea y el ajo proporciona sustancias que mejoran la circulación sanguínea en las capas profundas de la piel.

Según la edad

>>> A los niños no les gusta el sabor fuerte del pimiento rojo. Por lo demás, conviene a todas las edades, a excepción de las personas con estómagos muy frágiles y sensibles.

Composición

por cada 100 g de pimiento crudo

calorías	21
glúcidos	3,5 g
proteínas vegetales	1,1 g
lípidos	0,3 g
agua	91 g
fibras	2 g
potasio	210 mg
fósforo	26 mg
magnesio	13 mg
calcio	9 mg
hierro	0,7 mg
zinc	0,2 mg
vitamina C	126 mg
vitamina E	1,4 mg
betacarotenos	1 mg
vitamina B6	0,2 mg
vitamina B2	0,03 mg

LA BERENJENA

Virtudes para la belleza

>>> No se puede decir que las berenjenas sean las reinas de la densidad nutricional. Sin embargo, ocupan su puesto en la alimentación para la belleza. Para empezar, contienen agua y potasio, lo que las hace diuréticas. La eliminación renal, estimulada por dicho cóctel, drena toxinas cuya acumulación en el organismo oscurece el color de la piel. Contiene muchos nutrientes, aunque en pequeñas cantidades. Juegan un papel secundario en la lucha contra los radicales libres, responsables del envejecimiento de la piel y en el equilibrio lipídico de piel, cabellos y uñas. Sus suaves fibras facilitan el tránsito, lo que contribuye a aumentar su acción profundamente limpiadora.

Consejos de utilización

>>> Las berenjenas se consumen cocidas por fuerza. Lo más sencillo es asarlas en seco, cortadas en dos a lo largo. Luego se puede hacer un puré con ellas y sazonarlo como prefiramos, tomándolo caliente o frío. Evitemos freírlas en la medida de lo posible porque absorben un montón de aceite. Se pueden asar al horno en rodajas o en láminas, antes de incorporarlas a medio cocer en cualquier plato.

Asociaciones

>>> Las berenjenas tienen un sabor neutro que casa bien con las especias y las hierbas aromáticas: curry, jengibre, comino, cilantro, perejil, ajo, albahaca... Asociadas al tomate, al pimiento y a la cebolla forman la famosa chanfaina, plato con extraordinarias virtudes antienvejecimiento, protectoras de la belleza.

Según la edad

>>> No hay una edad concreta para empezar a tomarlas pues hasta los niños disfrutan con ellas. Hay que tenerlas muy en cuenta cuando se tiene un tránsito intestinal perezoso, como en los embarazos o en la menopausia.

Composición

por 100 g de berenjena cruda

calorías	35
glúcidos	6,23 g
proteínas	0,8 g
lípidos	0,2 g
fibras	2,5 g
agua	89,5 g
potasio	123 mg
hierro	0,25 mg
calcio	6 mg
magnesio	11 mg
zinc	0,12 mg
betacarotenos	0,03 mg
vitamina C	1,4 mg
vitamina E	0,4 mg
vitamina B6	0,08 mg
vitamina B1	0,08 mg
vitamina B3	0,6 mg
vitamina B5	0,08 mg

Los albaricoques

Virtudes para la belleza

>>> Los albaricoques son una excelente fuente de antioxidantes que protegen la piel contra los efectos del envejecimiento. Sobre todo son ricos en betacarotenos, que contribuyen a colorear la piel y a luchar contra la palidez asociados con el hierro. Aportan un poco de calcio y de zinc, así como de cobre, que lucha contra las reacciones alérgicas de la piel. Los glúcidos de los albaricoques llenan las células de energía, la cual necesitan para funcionar. Además, sus fibras suaves mejoran el tránsito intestinal eliminando toxinas que vuelven la piel gris.

Consejos de utilización

>>> Cuanto más oscuros son los albaricoques, más ricos en nutrientes son, especialmente en betacarotenos. Hay que tenerlo en cuenta a la hora de escogerlos en la frutería. Los albaricoques muy maduros tienen que consumirse rápidamente porque se estropean con facilidad. Cocidos, enteros o en compota, constituyen un postre excelente sin necesidad de añadirles azúcar. Si los salpimentamos, pueden acompañar carnes y aves.

Asociaciones

>>> Los albaricoques verdes y duros casan perfectamente con las ensaladas. Para amplificar su efecto antioxidante podemos asociarlos a alimentos ricos en vitamina E (nueces, por ejemplo) y en vitamina C (como los kiwis). También casan con las cebollas rojas, las frutas secas y los frutos secos (dátiles, ciruelas pasas, almendras, nueces...) en las ensaladas tanto dulces como saladas.

Según la edad

>>> Esta fruta no causa problemas de digestión ni de asimilación. Por lo tanto, se pueden consumir a cualquier edad. Pero mucho ojo con el hueso si se la damos a los niños.

Composición

por cada 100 g de albaricoques frescos

calorías	47
glúcidos	10 g
proteínas vegetales	0,8 g
lípidos	0,1 g
ácidos orgánicos	1,4 g
fibras	2,1 g
agua	85 g
potasio	315 mg
fósforo	20 mg
calcio	16 mg
magnesio	11 mg
hierro	0,4 mg
zinc	0,2 mg
cobre	0,12 mg
vitamina C	8 mg
betacarotenos	1,8 mg
vitamina E	0,7 mg
vitamina B3	0,6 mg
vitamina B5	0,3 mg

LA NARANJA

Virtudes para la belleza

>>> La naranja es bien conocida por su contenido en vitamina C. Esta es muy importante para la piel. No solo favorece la regeneración celular, indispensable para la juventud de la epidermis, sino que acelera la cicatrización en caso de granitos o quemaduras. Esta vitamina activa el crecimiento de las uñas y las hace más resistentes, estimulando también el crecimiento del cabello. Las fibras de la naranja contribuyen a una buena evacuación intestinal de las toxinas, mientras que sus glúcidos llenan las células de energía. La naranja también contiene, en pequeñas cantidades, otras vitaminas antioxidantes que participan en la protección contra los radicales libres que arruinan las células cutáneas.

Consejos de utilización

>>> El zumo de naranja contiene todos los nutrientes de la fruta entera a excepción de las fibras. Es una excelente fuente de vitaminas a condición de consumirlo rápidamente, pues los nutrientes se oxidan con rapidez al contacto con el aire. La piel de la naranja contiene un aceite esencial con virtudes relajantes. Si la usamos en cocina escojamos naranjas ecológicas, ya que parte de los productos químicos empleados para su cultivo se acumulan en la piel. Los gajos de naranja sin la piel translúcida son la delicia de las ensaladas y combinan tanto en platos dulces como en salados. El zumo de naranja también sirve para fondos de caldo de carne blanca o de algunos pescados.

Asociaciones

>>> Cuando comemos naranjas debemos introducir en el menú alimentos ricos en hierro (carnes rojas, verduras de hojas verdes), vitamina E (nueces, aguacates), betacarotenos (albaricoques, melón, pimientos rojos) y selenio (cereales integrales, germen de trigo). Así obtendremos una barrera extremadamente eficaz en la protección contra el paso del tiempo.

Según la edad

>>> Esta fruta es práctica para llevar encima y fácil de comer, haciendo las delicias de niños y adultos. Sustituye perfectamente a la bollería industrial como postre.

Composición

por cada 100 g de naranja

calorías	45
glúcidos	9 g
proteínas vegetales	1 g
lípidos	0,2 g
fibras	1,8 g
agua	86,3 g
potasio	180 mg
calcio	40 mg
fósforo	16 mg
magnesio	10 mg
vitamina C	53 mg
betacarotenos	0,12 mg
vitamina B5	0,3 mg
vitamina B3	0,28 mg
vitamina E	0,24 mg

Los arándanos

Virtudes para la belleza

>>> Más que las otras frutas rojas, los arándanos son ricos en sustancias protectoras que refuerzan las paredes de los pequeños vasos sanguíneos. Son muy importantes para el cuidado de la piel, el cabello y las uñas, porque estos tejidos necesitan ser correctamente nutridos. Favorecen la circulación de la sangre y protegen la belleza desde el interior. Poseen un abanico nutricional amplio y variado, si bien en pequeña cantidad. Asociados a otros alimentos con contenido nutricional específico, mejoran el estado general de la piel. Sus glúcidos abastecen de energía a las células y sus fibras contribuyen a la regulación del tránsito intestinal.

Consejos de utilización

>>> La temporada de arándanos es corta. Hay que aprovechar cuando vemos esas pequeñas bayas en el súper o en el campo. El resto de año podemos adquirirlas congeladas a condición de dejar que se descongelen lentamente a temperatura ambiente en un colador, porque echan mucho jugo. El zumo que dejan al descongelarse puede aprovecharse para integrarlo en otros platos.

Asociaciones

>>> Podemos incorporar los arándanos a ensaladas dulces y saladas. Su sabor acidulado realza las mezclas sosas. También podemos asociarlos a carnes blancas, aves e incluso pescados.

Según la edad

>>> Su acción protectora de los vasos sanguíneos hace de los arándanos unos aliados particularmente útiles para las mujeres a partir de los 50 años.

Composición

por cada 100 g de arándanos

calorías	57
proteínas	0,75 g
lípidos	0,3 mg
glúcidos	12 g
fibras	2,5 g
agua	84 g
calcio	6 mg
magnesio	6 mg
hierro	0,3 mg
potasio	77 mg
zinc	0,2 mg
betacarotenos	0,03 mg
vitamina C	10 mg
vitamina E	0,6 mg
vitamina B5	0,15 mg
vitamina B3	0,4 mg
vitamina B1	0,05 mg

LAS CIRUELAS

Virtudes para la belleza

>>> Las ciruelas aportan zinc, hierro y cobre, todos ellos implicados en la calidad de la piel. El zinc contribuye a prevenir la aparición de granos. El hierro mejora la oxigenación de las células y el cobre frena las reacciones alérgicas. Las ciruelas aportan mucho betacaroteno y vitaminas C y E, que participan en la protección de la piel contra los radicales libres responsables del envejecimiento cutáneo. Sus glúcidos aportan la energía indispensable para la renovación celular. Además, tienen un efecto ligeramente diurético y sus fibras mejoran el tránsito. De este modo contribuyen a la eliminación de toxinas.

Consejos de utilización

>>> Hay un montón de variedades de ciruelas: rojas, negras, verdes o amarillas, pequeñas y grandes, dulces y ácidas... Las escogeremos en función de lo que queramos preparar. La ciruela mirabel, por ejemplo, sirve para hacer tartas deliciosas, mientras que otras son mejores para platos salados. Cuanto más maduras son las ciruelas más rápidamente se asimilan sus azúcares. Si queremos aprovechar toda su energía de manera progresiva, las escogeremos de maduración media.

Asociaciones

>>> Casa de maravilla con las carnes blancas y las aves, incluido el pato. Es una forma de variar los menús. Si tendemos a los sabores ácidos, integraremos ciruelas poco maduras a las compotas o las serviremos crudas para acompañar un puré de patatas. No hay que dudar en asociarlas con especias fuertes: jengibre, anís estrellado, pimienta, pimentón. ¡Les encanta!

Según la edad

>>> Como todas las frutas con hueso, hay que tener cuidado al dársela a los niños. Al ser tan digestivas y fácilmente asimilables, se pueden comer a lo largo de toda la vida.

Composición

por cada 100 g de ciruelas

calorías	46
proteínas	0,7 g
lípidos	0,3 g
glúcidos	9,8 g
fibras	1,6 g
betacarotenos	0,2 mg
vitamina B3	0,5 mg
vitamina C	10 mg
vitamina E	0,3 mg
potasio	157 mg
magnesio	7 mg
calcio	6 mg
hierro	0,2 mg
zinc	0,2 mg
cobre	0,07 mg

Estas cifras constituyen una media, porque el contenido en nutrientes varía según la variedad y la madurez de fruta.

LAS NUECES

Virtudes para la belleza

>>> Las nueces son una buena fuente de vitamina E, que juega un rol importante en la protección contra los radicales libres. Esta preciosa vitamina, muy frágil, se encuentra perfectamente protegida por la cáscara de la nuez, de manera que se mantiene intacta mucho tiempo. La vitamina E también participa en la cicatrización de la piel y mejora la circulación de la sangre en los tejidos cutáneos más profundos. Las nueces aportan vitaminas del grupo B, indispensables para la conservación de la piel, las uñas y los cabellos. Los lípidos de las nueces están formados, mayoritariamente, por ácidos grasos insaturados que favorecen la elasticidad de la piel y facilitan los intercambios entre las células cutáneas. Además, aportan minerales tales como el hierro y el zinc, así como calcio, que actúan positivamente sobre la suavidad de la piel.

Consejos de utilización

>>> Cuando compremos nueces, cogeremos algunas en la mano y las sacudiremos. Deben producir un sonido hueco, sin que nada parezca moverse dentro. Eso indica que la nuez está entera y en perfecto estado, no seca. Si almacenamos nueces en casa, tendremos que guardarlas al abrigo del sol y fuera de las fuentes de calor.

Asociaciones

>>> Casan bien con los sabores dulces y salados indistintamente. Podemos integrarlas en las ensaladas saladas (con endibias, hinojo...) y dulces (macedonias), e incluso en compotas y platos de hortalizas estofadas (siempre al final de la cocción). Podemos ponerlas en los yogures para optimizar el aporte de calcio de los lácteos. Añadamos nueces a los platos de fruta o verdura ricos en vitamina C y betacarotenos para aumentar su poder protector.

Según la edad

>>> Su preciosa acción antiestrés es de gran utilidad en los momentos de tensión nerviosa. Esto es particularmente importante pasados los cincuenta años, cuando nuestra resistencia al estrés empieza a notarse.

Composición

por cada 100 g de nueces

calorías	525
lípidos	51 g
glúcidos	11 g
proteínas vegetales	5 g
fibras	5,5 g
agua	23 g
potasio	690 mg
fósforo	510 mg
magnesio	130 mg
calcio	51 mg
hierro	2,4 mg
zinc	3 mg
vitamina E	7 mg
vitamina B3	1 mg
vitamina B5	0,9 mg
vitamina B6	0,7 mg
vitamina B1	0,3 mg

Los alimentos complementarios para la belleza

Para conservar la belleza ayudándonos con cada comida podemos echar mano de estos alimentos complementarios cuyo contenido nutricional nutre la piel, las uñas y los cabellos.

>>> Los cereales y las féculas

El arroz integral

Es una importante fuente de glúcidos lentos que llenan las células de energía. El arroz aporta un amplio abanico de minerales y vitaminas del grupo B, todos implicados en la renovación y conservación de las células cutáneas.

Las judías blancas

Son una fuente excelente de fibras que facilitan el tránsito intestinal mejorando la eliminación de toxinas. Aportan energía a las células. Aportan también hierro, selenio, magnesio, calcio y vitaminas del grupo B. Un auténtico cóctel de belleza.

El maíz

Además de sus energéticos glúcidos, el maíz es una excelente fuente de antioxidantes que protegen la piel, las uñas y los cabellos contra los efectos del envejecimiento.

>>> Las fuentes de proteína

Los mejillones

Fáciles de preparar y de comer, los mejillones son una fantástica fuente de proteínas y de ácidos grasos insaturados. Piel, uñas y cabello se benefician de sus nutrientes. Tienen un efecto calmante gracias al litio que contienen. Ayudan a luchar contra el estrés y preservan contra los nefastos efectos de la tensión nerviosa sobre la belleza.

Las gambas

Esta es otra buena fuente de proteínas de calidad asociadas a un poco de ácidos grasos insaturados y numerosos minerales: zinc, hierro, magnesio, calcio… Todos estos nutrientes están implicados en el equilibrio de la belleza y lo mejor es que las gambas se prestan a un montón de asociaciones diferentes. Incluso podemos tomarlas en un aperitivo, simplemente cocidas y con un poquito de sal.

El salmón

Es una importante fuente de ácidos grasos insaturados, indispensables para la flexibilidad de la piel. Este pescado, fácil de preparar, aporta vitaminas del grupo B, tan necesarias para el mantenimiento de la belleza.

Los lácteos

Las pieles suaves son amigas del calcio. Los lácteos (yogur, quesos preferentemente frescos…) aportan gran cantidad de calcio, normalmente asociado al magnesio, que facilita su absorción. También aportan proteínas de buena calidad asociadas a pocas materias grasas.

>>> La verdura fresca

La cebolla

La podemos incorporar prácticamente a todos los platos. Y eso es lo mejor que podemos hacer porque las cebollas son una fuente inagotable de antioxidantes que protegen la piel y el cabello contra los efectos del paso del tiempo. Tiernas o secas, las cebollas contribuyen al mantenimiento del sistema cardiovascular. Y una buena circulación sanguínea es esencial para la piel, las uñas y los cabellos.

La acedera

Esta planta, a medio camino entre la verdura y la hierba aromática, es una buena fuente de vitamina C, esencial para la conservación de la piel. Añadámosla a potajes y estofados, porque su sabor ligeramente ácido es sorprendente.

El brécol

Esta verdura lleva el merecido título de «reina de las verduras saludables». Su composición nutricional la convierte en una verdura-muralla contra los radicales libres que aceleran el envejecimiento. También es una buena fuente de vitamina C, que estimula la regeneración de las células cutáneas, y de calcio, que conserva la suavidad de la piel.

La coliflor

Otra col esencial para mantenerse en el top de la belleza. Es una buena fuente de glúcidos que llenan de energía las células. Regula el tránsito intestinal con suavidad y favorece la pureza del tono de la piel. Aporta la preciosa vitamina C y muchas del grupo B.

El ajo

Es el mejor amigo de nuestras arterias y de nuestro corazón. Contribuye al mantenimiento del sistema cardiovascular y en ese punto es donde afecta a la belleza, ya que las células necesitan estar bien nutridas para regenerarse bien. Es un antioxidante formidable.

>>> La fruta fresca

El limón

Es una verdadera mina de vitamina C fácilmente asimilable porque está asociada a flavonoides. El limón mejora la asimilación de los nutrientes contenidos en los alimentos a los que acompaña. Es, por tanto, una fruta muy útil para optimizar el aporte nutricional de las células cutáneas.

El melón

Es diurético y facilita la eliminación de toxinas, lo que permite a la piel respirar mejor. También es una buena fuente de betacaroteno, un antioxidante de los más importantes.

Las frambuesas

Estos pequeños frutos rojos esconden una gran variedad de nutrientes. Algunos estimulan las defensas inmunitarias, en las que la piel juega un rol nada despreciable, mientras que otras contribuyen a purificar la epidermis y protegerla contra los efectos de paso del tiempo.

La papaya

Otra interesante fuente de vitamina C que estimula la regeneración de las células cutáneas. Esta fruta exótica contiene minerales indispensables para la tonicidad de la piel y el cabello, así como vitaminas antioxidantes.

40 RECETAS PARA LA BELLEZA

Sopa de habas con comino

Ingredientes para 4 personas

2 kg de habas tiernas • 3 dientes de ajo • 4 rebanadas pequeñas de pan integral
2 cucharadas soperas de aceite de oliva • ½ cucharada sopera rasa de comino en grano
½ cucharadita de café de comino en polvo
sal y pimienta

Preparación

1/ Cuece las habas y acláralas.

2/ Pela dos dientes de ajo y córtalos en juliana.

3/ En una olla pon a calentar el aceite de oliva a fuego medio. Añade el ajo, déjalo dorar removiendo un minuto y luego añade las habas.

4/ Agrega el comino y salpimienta. Deja cocer todo de 2 a 3 minutos sin dejar de remover.

5/ Añade 150 cl de agua, déjala hasta que hierva a borbotones, baja el fuego, tapa y deja cocer a fuego lento 30 minutos.

6/ Cuando las habas estén blandas, pasa por la batidora el contenido de la olla y viértelo en una sopera.

7/ Pon a fuego fuerte una sartén de fondo antiadherente. Añade los granos de comino y déjalos tostar 1 minuto. Añádelos a la sopera.

8/ Sirve inmediatamente, acompañada de rebanadas de pan tostado frotadas con el último diente de ajo.

Consejo

El tiempo de cocción de las habas tiernas varía según su grosor: cuenta de 20 a 30 minutos. Elige sobre todo habas tiernas, puesto que son más blandas y sabrosas. No se encuentran habas tiernas todo el año. En caso de no encontrarlas, utiliza conge-ladas. La preparación no cambia, pero tendrás que alargar un poco el tiempo de cocción si las cueces sin descongelar. Como decoración puedes añadir unas habas previamente reservadas y perifollo. Acompáñalas con tomatitos cherry.

TRIUNFO PARA LA BELLEZA

Las habas contienen las tres vitaminas antioxidantes: C, E y betacaroteno. Protegen la piel contra el envejecimiento. Sus fibras mejoran el tránsito intestinal, lo cual favorece la evacuación de los residuos, cuya acumulación estropea el cutis.

Sopa helada de zanahoria y arándanos

Ingredientes para 4 personas

400 g de zanahorias • 1 bandeja de arándanos frescos • 2 chalotas
16 bayas rosas • 1 trozo pequeño de jengibre fresco rallado
sal y pimienta

Preparación

1/ Unas horas antes de preparar la sopa (por la mañana si la vas a servir por la noche, por ejemplo), prepara ocho cubitos de hielo aromatizados. Para esto, vierte en cada compartimiento de tu cubitera una pizca de jengibre rallado, dos bayas rosas y media cucharadita de café de arándanos. Cubre con agua y ponla en el congelador.

2/ Pela las zanahorias y córtalas en rodajas finas. Pela las chalotas y córtalas en juliana. Ralla el resto del jengibre.

3/ En una olla pon las zanahorias, las chalotas, el resto del jengibre y los arándanos. Añade 150 cl de agua y salpimienta. Déjalo cocer a fuego suave 20 minutos, hasta que las zanahorias estén bien blandas.

4/ Tritura el contenido de la olla y viértelo en un recipiente que conservarás en la nevera hasta el momento de servir.

5/ En el último momento reparte la sopa en tazones individuales y añade en cada uno dos cubitos aromatizados. Sirve inmediatamente.

Consejo

Puedes preparar también esta sopa fría con arándanos rojos, frambuesas... El sabor acidulado de todas ellas realzará el dulzor de las zanahorias aportando en cada caso un gusto particular. Si te gusta el sabor dulce—salado, puedes añadir justo antes de servir algunas láminas muy finas de jengibre confitado.

TRIUNFO PARA LA BELLEZA

Las zanahorias contienen una gran cantidad de betacaroteno, lo cual las convierte en una eficaz arma contra los radicales libres que maltratan la piel. Su acción se ve reforzada por la vitamina C de los arándanos. Del mismo modo, las zanahorias favorecen la renovación de las células, contribuyendo así a preservar la flexibilidad de la piel y del cabello. El jengibre aporta su efecto tonificante.

Crema de apionabo al comino

Ingredientes para 4 personas

1 apionabo de aproximadamente 1 kg
½ litro de leche semidesnatada • 12 ramas de cilantro
1 pizca de nuez moscada rallada
sal y pimienta

Preparación

1/ Pela el apionabo y córtalo a dados pequeños. Pon a calentar agua en la parte baja de una vaporera. Cuando hierva, baja el fuego y déjalo hervir suavemente. Coloca encima la cesta perforada en la que habrás colocado los dados de apionabo. Déjalos cocer 15 minutos.

2/ Pon los dados de apionabo a medio cocer en una olla, añade la leche y 1 litro de agua. Salpiméntalos y llévalos a ebullición a fuego medio. Cuando empiecen los primeros borbotones, baja el fuego, añade la nuez moscada, cubre y deja cocer a fuego lento de 15 a 20 minutos más.

3/ Separa las hojas de cilantro, enjuágalas, escúrrelas y córtalas toscamente.

4/ Cuando el apionabo esté blando, tritura el contenido de la olla hasta obtener una crema bien fina.

5/ Sirve caliente con el cilantro cortado esparcido por encima.

Consejo

Puedes preparar esta crema mezclando el apionabo con otras hortalizas o frutos: calabaza, calabacín, castañas... Su sabor y sus virtudes cambiarán según la mezcla. Puedes, igualmente, sustituir el cilantro por perifollo o cebollino.

TRIUNFO PARA LA BELLEZA
El apionabo forma parte de las hortalizas desintoxicadoras. Consumido en sopa, ayuda al organismo a eliminar los residuos que estropean el cutis. Antiguamente se aplicaban cataplasmas de apio para acelerar la cicatrización de heridas pequeñas. Tomado por vía interna, el apio contribuye a tonificar la piel y a su regeneración celular.

Ensalada de calamares y perejil

Ingredientes para 4 personas

4 calamares grandes (800 g aproximadamente) • 2 dientes de ajo •
1 limón • 1 ramito de perejil • 10 ramas de menta fresca
3 cucharadas soperas de aceite de oliva • 1 pizca de cayena en polvo
sal y pimienta

Preparación

1/ Limpia los calamares y acláralos en abundante agua. Quítales la cabeza y los tentáculos y luego córtalos en láminas de ½ cm aproximadamente.

2/ Pon a calentar agua con sal en una olla grande a fuego fuerte. Cuando hierva, añade los calamares y déjalos cocer 15 minutos. Escúrrelos y resérvalos.

3/ Arranca las hojas de perejil y de menta, acláralas, escúrrelas y córtalas toscamente.

4/ Pela los dientes de ajo y hazlos puré con una prensa de ajos. Exprime el limón y reserva el zumo.

5/ En una ensaladera, vierte el puré de ajo y luego el zumo de limón.

6/ Salpimienta y después añade las hierbas cortadas y la cayena. Mezcla bien y luego incorpora el aceite en forma de hilo sin dejar de remover.

7/ Vierte los calamares aún tibios en esta salsa, mézclalos bien y sírvelos inmediatamente.

Consejo

Esta ensalada se conserva bien en la nevera. Puedes prepararla el día anterior. Para variar su sabor, puedes utilizar otras hierbas: cilantro, cebollino…

TRIUNFO PARA LA BELLEZA

Los aminoácidos contenidos en las proteínas del calamar contribuyen a la prevención de las arrugas. Su aporte en zinc (cicatrizante), en cobre y en hierro ayuda a la piel a mantenerse elástica y bien hidratada. El perejil se usa, tradicionalmente, para la belleza del cabello. Los ácidos grasos esenciales del aceite de oliva refuerzan las paredes de las células cutáneas.

Ensalada tibia de pasta con juliana de col lombardaa

Ingredientes para 4 personas

200 g de tallarines integrales • ¼ de col lombarda
2 cebollas rojas • 10 ramas de perejil • 4 cucharadas soperas de aceite de nueces
1 cucharada sopera de vinagre de sidra a la nuez • ½ cucharada sopera de vinagre balsámico
¼ de cucharadita de café de jengibre en polvo
sal y pimienta

Preparación

1/ Pon a calentar agua con sal en una olla grande. Cuando hierva, añade la pasta en forma de lluvia. Déjala cocer 10 minutos y luego escúrrela y aclárala en agua corriente. Resérvala.

2/ Enjuaga la col lombarda y córtala en juliana. Pela los ajos y córtalos en juliana.

3/ En una ensaladera vierte los vinagres, la sal y el jengibre. Mezcla todo bien y añade luego el aceite en forma de hilo y sin dejar de remover. Pon pimienta.

4/ Agrega las cebollas, mezcla, luego añade la col lombarda y en último lugar la pasta tibia.

5/ Deja reposar al menos 10 minutos antes de servir a fin de que las hortalizas y la pasta se impregnen bien de los sabores de la salsa.

6/ Durante este tiempo, arranca las hojas de perejil, acláralas, escúrrelas y después córtalas. Esparce sobre la ensalada en el momento de servir.

Consejo

También puedes preparar este entrante cociendo la pasta en último momento y añadiéndola, escurrida y caliente, en la ensalada. En este caso, la col lombarda y las cebollas se marchitan ligeramente al contacto con el calor. No estarán crujientes, pero así son más digestivas.

TRIUNFO PARA LA BELLEZA

La col lombarda es excelente para el cuidado de la piel. Su calcio contribuye al mantenimiento de la suavidad cutánea. Su vitamina E, asociada al licopeno, protege contra los radicales libres. La quercetina de las cebollas refuerza esta acción protectora. La col lombarda aporta, igualmente, vitaminas del grupo B, siendo la B6 la que ayuda a regular el sebo a nivel de cuero cabelludo. Así pues, es excelente para luchar contra el cabello graso.

Ensalada de aguacate a la naranja

Ingredientes para 4 personas

4 aguacates • 1 naranja
2 cucharadas soperas de aceite de sésamo
1 cucharada sopera de vinagre balsámico
½ cucharadita de café de jengibre en polvo
sal y pimienta

Preparación

1/ Pela la naranja y corta la piel en juliana. Ponla en una cacerola, cúbrela de agua y blanquéala unos 15 minutos.

2/ Durante este tiempo, pela los aguacates, quítales el hueso y córtalos en rodajas.

3/ Exprime la naranja ya sin piel y reserva el zumo.

4/ En el fondo de una ensaladera vierte el vinagre, la sal, la pimienta y el jengibre. Mezcla bien y luego añade el zumo de naranja.

5/ Finalmente, incorpora el aceite en forma de hilo sin dejar de remover.

6/ Cuando la piel de la naranja esté blanda, escúrrela cuidadosamente y ponla sobre papel absorbente.

7/ Pon las rodajas de aguacate en la ensaladera, mezcla bien y luego decora con la piel de naranja escalfada. Sirve inmediatamente.

Consejo

Cuando peles la naranja, ten cuidado de quitarle la parte blanca que rodea la fruta. Para consumir piel de cítricos es absolutamente necesario que estos hayan sido cultivados sin productos químicos. Prefiere, pues, naranjas de cultivo biológico.

TRIUNFO PARA LA BELLEZA
Los aguacates son amigos de la epidermis y del cabello pues aportan ácidos grasos insaturados en gran cantidad. La vitamina C de la naranja favorece la regeneración de las células cutáneas y acelera la cicatrización en caso de heridas.

Puré de berenjenas con ajo y sésamo

Ingredientes para 4 personas

4 berenjenas grandes • 3 dientes de ajo • 1 yogur semidesnatado
1 cucharada sopera de semillas de sésamo • 2 cucharadas soperas de aceite de sésamo
sal y pimienta

Preparación

1/ Precalienta el horno a 180 °C (termostato 6).

2/ Lava las berenjenas, quítales el pedúnculo y córtalas en dos a lo largo.

3/ Colócalas en una bandeja de horno con la cara cortada hacia arriba y ponlas en el horno. Déjalas cocer al menos 45 minutos, hasta que la carne esté blanda.

4/ Durante este tiempo, pela los dientes de ajo y hazlos puré con una prensa de ajos.

5/ Vierte este puré en un tazón, salpimienta y añade el yogur. Mezcla bien.

6/ Pon a calentar una sartén de fondo antiadherente. Cuando esté caliente, echa las semillas de sésamo y déjalas tostar 1 minuto sin dejar de remover. Resérvalas.

7/ Cuando las berenjenas estén cocidas, sácalas del horno y retira la piel. Ponlas en un cuenco y trabájalas con un tenedor hasta que se forme una pasta.

8/ Añade el aceite de sésamo, mezcla y luego incorpora el yogur perfumado. Mezcla bien.

9/ En el momento de servir, espolvorea con los granos de sésamo tostados.

10/ Acompaña de rebanadas de pan integral frotadas con ajo.

Consejo

Puedes sustituir el yogur por queso de cabra fresco. El sabor es un poco más fuerte, pero marida bien con los demás ingredientes. Este puré se conserva varios días en la nevera. En este caso, piensa en sacarlo al menos media hora antes de servirlo a fin de que no esté demasiado frío.

TRIUNFO PARA LA BELLEZA

Este plato debe sus virtudes a la berenjena, que tiene un efecto favorable sobre la piel y el cabello. El ajo, que favorece la circulación sanguínea, permite a las células cutáneas y al bulbo piloso absorber mejor el oxígeno y los micronutrientes. El sésamo aporta buenos ácidos grasos esenciales y el yogur (o el queso fresco), el calcio para la suavidad de la piel.

Ensalada arco iris

Ingredientes para 4 personas

¼ de col lombarda • ¼ de apionabo
200 g de espinacas pequeñas frescas • 1 aguacate • 300 g de albaricoques frescos
3 cucharadas soperas de aceite de sésamo • 1 cucharada sopera de vinagre de vino a la frambuesa
2 gotas de aceite esencial de naranjas dulces
sal y pimienta

Preparación

1/ Limpia la col y córtala en juliana. Pela el apionabo y rállalo. Enjuaga las espinacas, quítales los tallos y córtalas a tiras de al menos 1 cm de ancho. Lava los albaricoques, córtalos en dos, sácales el hueso y córtalos a gajos. Por último, pela el aguacate, quítale el hueso y córtalo a dados.

2/ Prepara la vinagreta vertiendo en una ensaladera el vinagre, la sal, la pimienta y el aceite esencial de naranja. Mezcla bien y luego añade aceite en forma de hilo sin dejar de remover.

3/ Echa los dados de aguacate y remueve bien para que se mezclen con la vinagreta. Después añade las otras hortalizas y, al final, los albaricoques.

4/ Mezcla bien y deja reposar diez minutos antes de servir.

Consejo

Esta ensalada multicolor es tanto bonita como sabrosa para degustar. En invierno puedes sustituir los albaricoques frescos por albaricoques secos (solo 100 g). La ensalada será entonces más azucarada. Si prefieres un gusto un poco más ácido, prepárala con albaricoques frescos no del todo maduros. Atención: no aumentes la cantidad de aceite esencial de naranja, pues corres el riesgo de que tape todos los demás sabores.

TRIUNFO PARA LA BELLEZA

Esta ensalada es un cóctel de nutrientes para la piel, el cabello y las uñas: ácidos grasos del aceite y del aguacate, betacaroteno de los albaricoques, licopeno de la col lombarda, compuestos diuréticos del apionabo, la vitamina C y calcio de las espinacas....

Berenjenas asadas con hierbas frescas

Ingredientes para 4 personas

4 berenjenas grandes • 2 chalotas • 1 ramito de perejil • 1 ramito de cilantro
4 cucharadas soperas de aceite de oliva • 1 pizca de cayena en polvo
sal y pimienta

Preparación

1/ Precalienta el horno a 180 °C (termostato 6).

2/ Enjuaga las berenjenas, quítales el pedúnculo y después, sin pelarlas, córtalas en rodajas de al menos ½ cm de grosor.

3/ Dispón una capa de berenjenas en la rejilla y llévala al horno. Deja hornear 5 minutos, luego dale la vuelta a las rodajas con ayuda de una espátula y hornea 5 minutos más por el otro lado. Ponlas en un plato hondo y procede de la misma manera con el resto de las berenjenas.

4/ Arranca las hojas del perejil y del cilantro, acláralas, escúrrelas y luego córtalas toscamente.

5/ Pela las chalotas y córtalas en juliana. Mezcla bien en un tazón con las hierbas cortadas. Salpimienta y añade la cayena. Mezcla bien y luego añade el aceite de oliva.

6/ Cuando todas las berenjenas estén cocidas y puestas en el plato, vierte por encima la mezcla de chalotas, aceite y hierbas.

7/ Conserva en lugar fresco al menos durante una hora antes de servir para que las hortalizas se impregnen bien de la salsa.

8/ Sirve con una ensalada verde.

Consejo

Para que las berenjenas estén a la vez tiernas y sabrosas, tienen que dorarse en el horno, sin que se tuesten ni se resequen. Vigila la cocción, pues la duración ideal de esta depende del grosor de las rodajas y de la densidad de la carne de las berenjenas.

TRIUNFO PARA LA BELLEZA

Las berenjenas contienen minerales (sobre todo potasio) que ayudan a prevenir la sequedad cutánea. Aportan también vitaminas antioxidantes. El aceite de oliva proporciona buenos ácidos grasos que nutren las capas profundas de la piel.

Huevos escalfados con puré de habas especiado

Ingredientes para 4 personas

4 huevos • 400 g de habas tiernas
1 cucharada sopera de nata fresca espesa • ¼ de cucharadita de café de comino en polvo
¼ de cucharadita de café de cúrcuma en polvo
sal y pimienta

Preparación

1/ Desgrana las habas. Pon a calentar agua en la parte baja de una vaporera. Cuando hierva, baja el fuego y coloca encima la cesta perforada en la que habrás puesto las habas. Déjalas cocer de 20 a 30 minutos, según su grosor.

2/ Cuando estén bien tiernas, tritúralas con las especias y la nata fresca hasta obtener una crema homogénea. Salpimienta y mezcla de nuevo.

3/ Reparte esta crema en cuatro cazuelitas aptas para el horno, haz un hueco en el centro de cada una de ellas y rompe en él un huevo entero.

4/ Coloca las cazuelitas en una olla y llena con agua hasta un tercio de la altura de estas. Luego llévalas a ebullición con suavidad, a fuego medio. Deja cocer 10 minutos, regulando la temperatura de manera que el agua no haga borbotones. Sirve inmediatamente.

Consejo

El éxito de los huevos escalfados depende sobre todo de su cocción. Vigílala de cerca: las claras deben estar completamente cuajadas, pero las yemas tienen que permanecer líquidas. También puedes preparar este plato con una crema de lentejas rojas.

TRIUNFO PARA LA BELLEZA

Los huevos son una mina de aminoácidos, de los cuales algunos son particularmente importantes para la piel, las uñas y el cabello. Es el caso, sobre todo, de la cisteína. Las habas aportan los glúcidos lentos que las células cutáneas necesitan. La cúrcuma da un toque antioxidante.

Flanes de habas con espinacas

Ingredientes para 4 personas

600 g de habas tiernas • 400 g de espinacas frescas • 4 huevos
½ litro de leche semidesnatada • 3 cucharadas soperas de gruyer rallado
1 pizca de nuez moscada rallada
sal y pimienta

Preparación

1/ Precalienta el horno a 180 °C (termostato 6).

2/ Desgrana las habas. Pon a calentar agua en la parte baja de una vaporera. Cuando hierva, baja el fuego y coloca encima la cesta perforada en la que habrás puesto las habas. Cuécelas 10 minutos.

3/ Lava las hojas de espinacas, escúrrelas, quítales el tallo y córtalas en juliana.

4/ En un tazón bate con un tenedor los huevos enteros y la leche. Salpimienta, añade la nuez moscada y el queso rallado.

5/ Añade las habas medio cocidas y la juliana de espinacas crudas. Después mezcla de nuevo.

6/ Unta ligeramente con mantequilla cuatro moldes aptos para el horno y vierte en ellos la preparación. Lleva al horno y deja cocer 25 minutos.

7/ Sírvelos calientes acompañados de una ensalada verde.

Consejo

Puedes también preparar este plato con habitas peladas congeladas. No es necesario que las descongeles antes de utilizarlas. Solo tienes que prolongar un poco el tiempo de cocción al vapor.

TRIUNFO PARA LA BELLEZA

La leche y los huevos proporcionan excelentes aminoácidos esenciales para la calidad de la piel, las uñas y el cabello. Las espinacas aportan vitaminas antioxidantes. En cuanto a las habas, constituyen una buena fuente de glúcidos. Todo ello contribuye al cuidado de la belleza de una manera natural y equilibrada.

pollo *zanahorias* *huevos*

Guiso de pollo a la antigua

Ingredientes para 4 personas

1 pollo troceado de aproximadamente 1,5 kg • 300 g de zanahorias • 2 cebollas
300 g de champiñones • 1 limón • 2 yemas de huevo • 20 cl de nata líquida fresca
3 clavos de olor • 1 ramo de hierbas (tomillo, laurel, apio)
1 cucharada sopera de aceite de girasol • 1 pizca de nuez moscada rallada
sal y pimienta

Preparación

1/ Pela las cebollas e insértales los clavos de olor. Pela las zanahorias y córtalas en trozos.

2/ Pon a calentar el aceite en una olla a fuego medio y dora los trozos de pollo. Salpimienta, añade las zanahorias, las cebollas y el ramo de hierbas. Cubre con agua y deja cocer a fuego lento, tapado, 30 minutos.

3/ Durante este tiempo, limpia los champiñones, quítales la parte terrosa del pie y córtalos a cuartos. Añádelos a la olla y deja cocer 30 minutos más.

4/ Cuando el pollo esté cocido, retíralo con una espumadera y colócalo en una bandeja que mantendrás caliente en el horno tibio (80 °C, termostato 3).

5/ Retira el ramo de hierbas y las cebollas y luego reduce los jugos de cocción a fuego fuerte.

6/ En un tazón mezcla las yemas de huevo, la nata fresca y el zumo de limón y después añade un cucharón de caldo. Mezcla bien, añade otro cucharón y mezcla de nuevo.

7/ Cuando la salsa haya reducido lo suficiente, bájale el fuego y vierte el contenido del tazón en la olla. Deja que espese lentamente, a fuego muy lento, removiendo sin parar. Cuando la salsa esté cremosa, pon de nuevo los trozos de pollo en la olla.

8/ Sirve caliente, acompañado de arroz integral o de patatas al vapor.

Consejo

Si quieres que la salsa sea más espesa, espolvorea los trozos de pollo, al principio de la cocción, con 1 ó 2 cucharadas soperas de harina o de maicena. Puedes también añadir la parte blanca de un puerro a la salsa. En este caso, retírala de la preparación al mismo tiempo que el ramo de hierbas y las cebollas.

TRIUNFO PARA LA BELLEZA

El pollo es una excelente fuente de proteínas que aporta todos los aminoácidos que la piel requiere para mantenerse tersa y elástica. La cisteína contribuye también a dar fortaleza a las uñas. Proporciona, además, la vitamina B6, que regula el exceso de sebo en la piel y en el cabello. Las zanahorias son una buena fuente de antioxidantes, sobre todo de betacaroteno, que protege las células contra el envejecimiento y favorece la flexibilidad del cabello.

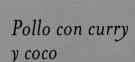
Pollo con curry y coco

Ingredientes para 4 personas

1 pollo de aproximadamente 1,5 kg • 3 cebollas rojas grandes
300 g de champiñones • 400 g de leche de coco (un bote de 425 ml)
2 cucharadas soperas de coco rallado • 2 cucharadas soperas de aceite de girasol
2 cucharadas soperas de curry en polvo
sal y pimienta

Preparación

1/ Corta el pollo en trozos. Pela las cebollas y córtalas a cuartos. Lava los champiñones, quítales el pie terroso y córtalos a cuartos.

2/ Pon a calentar el aceite a fuego medio en una olla, añade los trozos de pollo y dóralos 5 minutos dándoles la vuelta de vez en cuando. Después retira y reserva.

3/ En los jugos de cocción del pollo pon la cebolla a cuartos y salpimienta. Deja cocer 5 minutos. Después añade de nuevo los trozos de pollo, pon el polvo de curry y mezcla bien para que todo quede bien impregnado. Al final, vierte la leche de coco.

4/ Remueve bien, baja el fuego, cubre y deja hacer a fuego lento 20 minutos. Añade los champiñones y deja cocer 20 minutos más.

5/ En el último momento espolvorea con coco rallado. Sirve caliente, acompañado de arroz perfumado.

Consejo

Según te guste el curry picante o suave, puedes aumentar o disminuir la cantidad de polvo de curry. Puedes también preparar este plato con pequeños champiñones enteros congelados. En este caso, añádelos a la preparación cuanto antes para que tengan tiempo de cocerse.

TRIUNFO PARA LA BELLEZA

Las cebollas rojas aportan sustancias antioxidantes, quercetina y licopeno, que protegen la piel contra los efectos del tiempo y contribuyen a la regeneración celular. El coco proporciona minerales, sobre todo zinc y calcio, de los que la piel y las uñas están ávidos. El pollo aporta los preciosos aminoácidos que necesitan la piel y el cabello.

Brochetas de pollo marinadas con naranja

Ingredientes para 4 personas

4 pechugas de pollo • 2 naranjas • 1 limón • 2 cebollas rojas
2 dientes de ajo • 2 cucharadas soperas de aceite de oliva
1 cucharadita de café de canela en polvo • 1 cucharadita de café de cardamomo en polvo
sal y pimienta

Preparación

1/   Exprime las naranjas y el limón. Vierte el zumo en un bol y añade el aceite de oliva y las especias. Salpimienta y mezcla bien.

2/   Pela los dientes de ajo y redúcelos a puré con la prensa de ajos. Agrega este puré al zumo aromatizado y mezcla bien.

3/   Corta las pechugas de pollo a dados grandes de 2 a 3 cm de lado. Ponlos en un plato hondo y vierte por encima la marinada. Cúbrelos con film alimentario y conserva en la nevera dos horas.

4/   Precalienta el horno a 200 °C (termostato 6-7).

5/   Pela las cebollas y córtalas en cuartos.

6/   Escurre los dados de pollo y pínchalos en las brochetas, alternando dos trozos de pollo y un cuarto de cebolla.

7/   Dispón las brochetas en una placa para horno, riégalas con algunas cucharadas de la marinada y llévalas al horno. Déjalas hornear 10 minutos, luego dales la vuelta, riégalas de nuevo con el zumo y déjalas 10 minutos más en el horno.

8/   Sírvelas muy calientes acompañadas de puré de apionabo, de patatas o de calabacín.

Consejo

No dejes cocer demasiado las brochetas a fin de que no se sequen. Si lo deseas, puedes preparar una salsa de acompañamiento reduciendo el resto de la marinada a fuego lento y añadiendo 1 cucharada sopera de nata fresca espesa.

TRIUNFO PARA LA BELLEZA
El zumo de naranja y el de limón aportan vitaminas, sobre todo la C, que acelera la regeneración de las células cutáneas y protege contra los radicales libres. La cisteína del pollo contribuye a la prevención de las arrugas, en la belleza del cabello y en la dureza de las uñas.

Pechugas de pollo con miel al agua de rosas

Ingredientes para 4 personas

4 pechugas de pollo • 1 limón • 2 cucharadas soperas de miel líquida
1 cucharada sopera de agua de rosas • 2 cucharadas soperas de aceite de girasol
½ cucharadita de café de jengibre en polvo • ¼ de cucharadita de café de canela en polvo
sal y pimienta

Preparación

1/ Exprime el limón. Añade la miel y el agua de rosas al zumo. Mezcla bien, salpimienta y añade las especias. Mezcla de nuevo.

2/ Coloca las pechugas de pollo en un plato hondo y hazles unos pequeños cortes por toda la superficie. Vierte por encima la marinada, tapa con film alimentario y déjalas en la nevera al menos durante una hora.

3/ Pon a calentar el aceite a fuego medio en una sartén grande. Saca las pechugas de pollo de la nevera, escúrrelas y conserva la marinada. Colócalas en la sartén y déjalas dorar 3 minutos por cada lado. Luego añade unas cuantas cucharadas de la marinada, baja el fuego, tapa y deja cocer de 15 a 20 minutos más vigilando para que la preparación no se pegue.

4/ Retira las pechugas de pollo y colócalas en una bandeja.

5/ Vierte el resto de la marinada en una sartén y redúcela a fuego lento hasta que haya tomado la apariencia de un jarabe.

6/ Riega las pechugas de pollo con esta salsa y sírvelas inmediatamente, acompañadas de arroz o de cuscús al vapor.

Consejo

Si cultivas las rosas en tu jardín, puedes esparcir unos cuantos pétalos en el plato justo antes de servir. No solo es una decoración bonita, sino que además los pétalos aportan un sabor más intenso, como de pimienta, dulce o de limón, según la variedad.

TRIUNFO PARA LA BELLEZA
Las virtudes del pollo para conservar la belleza de la piel, de las uñas y del cabello están más que demostradas. La rosa aporta también sus beneficios en materia de belleza. Esta flor es utilizada desde hace siglos para mantener la suavidad de la epidermis.

Pechugas de pollo rellenas con albaricoques y nueces

Ingredientes para 4 personas

*4 pechugas de pollo • 2 chalotas • 400 g de albaricoques frescos
1 puñado de nueces partidas • 1 limón • 1 cucharada sopera de miel líquida
2 cucharadas soperas de aceite de oliva • ½ cucharadita de café de jengibre en polvo
sal y pimienta*

Preparación

1/   Precalienta el horno a 180 °C (termostato 6).

2/   Pela las chalotas y córtalas en juliana. Lava los albaricoques, quítales el hueso y córtalos a tiras.

3/   Exprime el limón. Vierte en el zumo el jengibre y la miel. Salpimienta y mezcla bien.

4/   En un tazón, mezcla las chalotas, las nueces, los albaricoques y la preparación a base de miel y de limón. Déjalo reposar 10 minutos.

5/   Durante este tiempo, prepara las pechugas de pollo haciéndoles un corte en la mitad. Rellénalas con la preparación anterior y ciérralas apretando los bordes.

6/   Reparte 1 cucharada sopera de aceite de oliva en una bandeja de horno. Coloca las pechugas de pollo rellenas y viérteles por encima otra cucharada sopera de aceite de oliva en forma de hilo.

7/   Lleva al horno durante 20 minutos. Dale la vuelta a las pechugas, volviendo a echar aceite de oliva si ves que están demasiado secas y déjalas hornear 10 minutos más por el otro lado.

8/   Sírvelas calientes, acompañadas de un puré de calabacín perfumado con comino.

Consejo

Si las pechugas de pollo te parecen demasiado rellenas, puedes coserles los bordes con hilo de cocina. Si no encuentras albaricoques frescos, puedes sustituirlos por albaricoques en lata con la condición de que los escurras bien para eliminar el exceso de azúcar.

TRIUNFO PARA LA BELLEZA

Las nueces rebosan de buenos ácidos grasos esenciales que ayudan a la piel a conservar su elasticidad. Contienen también vitamina B8, que frena la caída del cabello. A esto se suman la cisteína del pollo, el betacaroteno de los albaricoques y la vitamina C del zumo de limón.

Costillas de cordero con puré de albaricoques

Ingredientes para 4 personas

8 costillas de cordero • 1 kg de albaricoques frescos • 3 dientes de ajo
2 cucharadas soperas de aceite de oliva • ½ cucharadita de café de comino en polvo
¼ de cucharadita de café de canela en polvo • 1 pizca de cayena en polvo
sal y pimienta

Preparación

1/ Pela los dientes de ajo y córtalos en juliana. Lava los albaricoques, quítales el hueso y córtalos también en juliana.

2/ En una olla pon a calentar el aceite de oliva a fuego medio. Añade el ajo y déjalo dorar 1 minuto removiendo. Luego añade los albaricoques. Salpimienta, agrega el comino, la canela y la cayena. Mezcla bien, reduce el fuego, tapa y deja cocer a fuego lento 20 minutos.

3/ Cuando los albaricoques estén bien blandos, retira la tapadera, aumenta un poco el fuego y déjalos cocer todavía 5 minutos más sin tapar para que se evaporen los líquidos de cocción.

4/ Pon a calentar a fuego medio una sartén antiadherente. Añade unos granos de sal gorda y coloca encima las costillas de cordero. Déjalas dorar 5 minutos por cada lado.

5/ Sírvelas inmediatamente, acompañadas del puré de albaricoque y de cuscús al vapor.

Consejo

El puré de albaricoques debe quedar confitado. Adapta el tiempo de cocción sin tapar en función del líquido que haya soltado la fruta durante la cocción tapada. Del mismo modo, asa las costillas de cordero más o menos tiempo según te gusten bien hechas o poco hechas.

TRIUNFO PARA LA BELLEZA

A los nutrientes de los albaricoques contra el envejecimiento se unen las proteínas del cordero. Esta carne contiene, además, hierro, que ayuda contra la excesiva palidez, y zinc, que facilita la cicatrización en caso de pequeñas heridas y contribuye a la dureza de las uñas. El aceite de oliva aporta buenos ácidos grasos esenciales.

Costillas de cordero con habas

Ingredientes para 4 personas

8 costillas de cordero
1 kg de habas tiernas • 1 manojo de cebollas tiernas
3 cucharadas soperas de aceite de oliva
sal y pimienta

Preparación

1/ Desgrana las habas. Pon a calentar agua en la parte baja de una vaporera. Cuando hierva, baja el fuego y coloca encima la cesta perforada en la que habrás colocado las habas. Déjalas cocer 10 minutos.

2/ Limpia las cebollas y córtalas en trozos de al menos 6 cm de largo.

3/ En una olla pon a calentar 2 cucharadas soperas de aceite de oliva a fuego medio y luego añade las cebollas. Déjalas dorar 2 minutos removiéndolas de vez en cuando.

4/ Añade las habas medio cocidas, salpimienta, vierte una taza pequeña de agua, baja el fuego, tapa y dejar cocer a fuego lento 20 minutos. Después retira la tapadera y déjalas cocer unos minutos más para que se evaporen los líquidos de la cocción.

5/ Pon a calentar a fuego medio una sartén antiadherente. Pon en ella unos granos de sal gorda y encima las costillas de cordero. Déjalas dorar 5 minutos por cada lado.

6/ Sírvelas inmediatamente, acompañadas de las habas regadas con una última cucharada de aceite de oliva.

Consejo

Como para la receta de la página 66, puedes adaptar el tiempo de cocción de las habas, que deben estar bien tiernas pero sin que se deshagan, y el de las costillas de cordero. También puedes preparar este plato con habas congeladas. En este caso, prolonga el tiempo de cocción al vapor.

TRIUNFO PARA LA BELLEZA

Numerosos ingredientes indispensables para la belleza de la piel y de los cabellos se encuentran en este plato: vitaminas antioxidantes y glúcidos lentos en las habas, aminoácidos, hierro y zinc en el cordero y quercetina en las cebollas. Además, por supuesto, de los buenos ácidos grasos del aceite de oliva.

costillas de cordero

berenjenas

Lomo de cordero con hortalizas

Ingredientes para 4 personas

*1 lomo de cordero de aproximadamente 1 kg • 2 berenjenas
2 pimientos rojos • 4 tomates • 4 dientes de ajo • 2 pellizcos de tomillo
2 pellizcos de romero • 2 cucharadas soperas de aceite de oliva
sal y pimienta*

pimientos

tomate

Preparación

1/ Precalienta el horno a 200 °C (termostato 6-7).

2/ Lava las berenjenas, quítales el pedúnculo y córtalas a dados sin pelarlas. Lava los pimientos, quítales el tallo y las semillas y córtalos en juliana.

3/ Coloca las berenjenas y los pimientos en una placa para horno y hornéalas 20 minutos removiendo de vez en cuando.

4/ Durante este tiempo, pela los dientes de ajo y córtalos en láminas finas. Escalda los tomates en agua hirviendo durante unos segundos, pélalos, quítales las semillas y córtalos a dados.

5/ En una olla, pon a calentar el aceite de oliva a fuego medio, añade el ajo, remueve y déjalo dorar 1 minuto. Luego vierte las hortalizas precocidas al horno. Salpimienta, añade 1 pellizco de tomillo y 1 pellizco de romero. Remueve de nuevo y agrega los tomates. Deja cocer 10 minutos sin tapar, luego baja el fuego y deja hacer a fuego lento 30 minutos.

6/ Cuando las hortalizas hayan soltado todos sus jugos, continúa la cocción sin tapar hasta que estén bien confitadas.

7/ Añade un poco de sal gorda en una bandeja de horno y pon encima el lomo de cordero. Espolvorea con el resto del tomillo y del romero y pon pimienta. Lleva al horno durante 10 minutos, dale la vuelta y déjalo 10 minutos más.

8/ Sirve el lomo de cordero nada más salir del horno, acompañado de las hortalizas.

Consejo

El tiempo de cocción del lomo de cordero depende de su grosor y de tu gusto. Prolóngalo si el lomo es muy grueso o si te gusta la carne más hecha. En cuanto a las hortalizas, puedes sustituir las berenjenas por calabacines.

TRIUNFO PARA LA BELLEZA

Las hortalizas de esta receta son una mina de nutrientes favorables para el mantenimiento de la piel y del cabello: vitamina C y betacaroteno antioxidantes, licopeno, potasio... Estas hortalizas son todas diuréticas, lo cual favorece la buena eliminación de los residuos corporales que amenazan con estropear el cutis. El cordero aporta, además, cisteína, zinc y hierro. En cuanto al tomillo y al romero, juegan su papel: el primero es astringente y cierra los poros, el segundo tonifica la piel.

Tortilla de espinacas y apionabo

Ingredientes para 4 personas

8 huevos • 300 g de espinacas frescas • 1 manojo de cebollas
¼ de apionabo • 2 cucharadas soperas de aceite de girasol
1 pizca de nuez moscada rallada
sal y pimienta

Preparación

1/ Pela las cebollas y córtalas en juliana. Lava las espinacas, quítales los tallos y córtalas en juliana. Pela el apionabo y rállalo.

2/ Pon a calentar el aceite a fuego medio en una sartén grande. Agrega las cebollas y luego el apionabo rallado. Salpimienta, añade la nuez moscada y deja cocer 5 minutos removiendo de vez en cuando.

3/ Durante este tiempo, bate los huevos con un tenedor, salpimienta, echa las espinacas en juliana y mezcla.

4/ Vierte la preparación en la sartén. Déjala cocer 5 minutos. Luego, con la ayuda de una espátula despega la tortilla. Coloca sobre la sartén un plato grande y dale la vuelta. Vuelve a poner la tortilla en la sartén, dejándola deslizarse desde el plato por el lado crudo. Déjala cocer 5 minutos más.

5/ Cuando esté tibia sírvela acompañada de una ensalada de brotes frescos de espinaca.

Consejo

El apionabo debe quedar crujiente. Por ello no lo dejes cocer demasiado tiempo antes de añadir los huevos. Puedes sustituirlo por remolacha cruda rallada. Esta tortilla se puede servir fría y cortada a dados como aperitivo.

TRIUNFO PARA LA BELLEZA

La clorofila de las espinacas estimula la regeneración de las células cutáneas. Esta verdura aporta también vitamina B9, indispensable para el buen estado del cabello, y calcio, que mantiene la suavidad de la piel. El apionabo drena las toxinas y la cebolla pone sus antioxidantes. En cuanto al huevo, tanto la piel como las uñas se vuelven locos por sus proteínas.

huevos   *tomate*   *pimientos*

Tortilla de tomate y pimientos

Ingredientes para 4 personas

8 huevos • 4 tomates (o 2 grandes) • 1 pimiento rojo
2 dientes de ajo • 10 ramas de perejil • 10 ramas de albahaca
2 cucharadas soperas de aceite de oliva
sal y pimienta

Preparación

1/   Pela los tomates después de haberlos escaldado durante unos segundos en agua hirviendo. Quítales las semillas y córtalos a dados pequeños. Ponlos en un colador con un poco de sal y déjalos que suelten el agua.

2/   Lava el pimiento, quítale las semillas y córtalo en juliana.

3/   Pela los dientes de ajo y hazlos puré con la prensa de ajos. Arranca las hojas de perejil y de albahaca, acláralas, escúrrelas y córtalas.

4/   En una sartén pequeña pon a calentar a fuego fuerte 1 cucharada sopera de aceite de oliva. Pon el puré de ajo y luego el pimiento. Salpimienta y deja 1 minuto sin dejar de remover. Retira la sartén la sartén del fuego y añade los tomates. Mezcla bien y reserva.

5/   Bate los huevos con un tenedor. Salpimienta.

6/   Pon a calentar el resto del aceite a fuego medio en una sartén grande antiadherente. Vierte los huevos y déjalos cocer 5 minutos. Cuando la parte de abajo de la tortilla haya cuajado, vierte la mezcla a base de tomates y las hierbas cortadas sobre una mitad y con ayuda de una espátula ciérrala con la otra mitad. Déjala cocer unos minutos más.

7/   Sirve inmediatamente, acompañada de una ensalada verde aliñada con una vinagreta de ajo.

Consejo

La cocción de la tortilla depende del gusto de cada uno. Puedes prolongar o acortar su duración según te guste poco o bien hecha. Si utilizas pulpa de tomate en lata, vigila que esta haya escurrido el tiempo suficiente para que no tenga líquido, a fin de que la tortilla no quede aguada.

TRIUNFO PARA LA BELLEZA

El tomate aporta mejor el licopeno si está ligeramente cocido. Esta sustancia antioxidante actúa sobre las células cutáneas, a las que protege contra los radicales libres. Los huevos son una mina de aminoácidos, sobre todo cisteína. El ajo mejora la microcirculación sanguínea, lo que permite que las capas inferiores de la piel sean nutridas correctamente.

Calamares salteados con ajo y cilantro

Ingredientes para 4 personas

1 kg de calamares • 5 dientes de ajo • 1 rama pequeña de cilantro
3 cucharadas soperas de aceite de oliva • 1 pizca de cayena en polvo
sal y pimienta

Preparación

1/ Limpia los calamares, quítales la cabeza y los tentáculos y luego córtalos a tiras. Enjuágalos y déjalos escurrir en papel absorbente.

2/ Pela los dientes de ajo y córtalos en juliana.

3/ Arranca las hojas del cilantro, enjuágalas, escúrrelas y luego córtalas.

4/ Pon a calentar el aceite a fuego más bien fuerte en una sartén, añade la juliana de ajo, remueve y déjala dorar 1 minuto y después añade las tiras de calamar. Agrega pimienta y cayena. Remueve, baja el fuego y deja unos 15 minutos removiendo de vez en cuando. Sala, remueve y cuece 5 minutos más.

5/ Cuando los calamares estén blandos, ponlos en un plato y esparce cilantro encima.

6/ Sírvelos muy calientes acompañados de pasta integral pequeña con aceite de oliva.

Consejo

Este plato está mejor si se preparara con calamarcitos. Si los encuentras, es lo ideal. Su éxito reside en la cocción. Deben quedar lo suficientemente cocidos para que estén tiernos, pues si la alargamos demasiado pueden volverse gomosos. Puedes sustituir el cilantro por albahaca.

TRIUNFO PARA LA BELLEZA

El ajo estimula la circulación sanguínea, sobre todo en los pequeños vasos capilares de las capas inferiores de la piel y del cuero cabelludo. Mejora así el aporte de oxígeno y de nutrientes. El calamar aporta proteínas, zinc y hierro. El cilantro favorece la digestión y la eliminación renal, lo que permite que la piel no se empañe a causa de los residuos metabólicos.

Calamares rellenos de hortalizas

Ingredientes para 4 personas

4 calamares grandes • 1 cebolla roja • 3 dientes de ajo
2 pimientos rojos • 1 tomate grande (o 2 pequeños)
3 pellizcos de tomillo • 3 cucharadas soperas de aceite de oliva
sal y pimienta

Preparación

1/ Precalienta el horno a 180 °C (termostato 6).

2/ Limpia los calamares. Quítales la cabeza y los tentáculos y retira los ojos y las ventosas antes de picarlos toscamente.

3/ Pela el ajo y redúcelo a puré con la prensa de ajos. Pela la cebolla y córtala fina. Lava los pimientos, quítales los tallos y las semillas y córtalos en pequeños dados. Escalda los tomates unos segundos en agua hirviendo, pélalos, quítales las semillas y córtalos en pequeños dados.

4/ En una sartén vierte 2 cucharadas soperas de aceite de oliva. Añade el puré de ajo y la cebolla cortada, remueve y luego añade el picadillo de calamares. Sala ligeramente, echa abundante pimienta y deja cocer unos minutos hasta que se evapore el agua que suelten los calamares.

5/ Añade los dados de pimiento y cuece 3 minutos más sin dejar de remover. Por último, añade los dados de tomate y el tomillo. Déjalo cocer todo sin tapar 10 minutos vigilando para que no se pegue.

6/ Cuando este relleno esté listo, rellena los calamares y ciérralos con un palillo. Ponlos en una cazuela de barro y hornéalos 10 minutos. Luego dales la vuelta y déjalos 10 minutos más.

7/ En el momento de servir riega los calamares con el resto de aceite de oliva. Sírvelos con arroz aromatizado.

Consejo

También puedes preparar estos calamares rellenos en una sartén. Este modo de cocción demanda un poco más de materia grasa, pero es muy sabroso. Si los dados de tomate sueltan demasiada agua cuando los integres al relleno, prolonga un poco el tiempo de cocción a fin de que se evapore. Cuando rellenes los calamares, el relleno debe estar confitado y no jugoso.

TRIUNFO PARA LA BELLEZA

Las proteínas del calamar dan a la piel no solo aminoácidos, sino también hierro y zinc. Los tomates, los pimientos y las cebollas están repletos de antioxidantes que previenen la formación de las arrugas. Por último, el tomillo contribuye a reafirmar los tejidos cutáneos. Las uñas y los cabellos aprecian también estos nutrientes.

Calamares en salsa de tomate

Ingredientes para 4 personas

1 kg de calamares • 1 kg de tomates • 1 cebolla
5 dientes de ajo • 1 ramo de hierbas (tomillo, laurel y romero) • 10 ramas de perejil
2 cucharadas soperas de aceite de oliva • 1 pizca de cayena en polvo
sal y pimienta

Preparación

1/   Limpia los calamares y córtalos en rodajas.

2/   Pela la cebolla y córtala en juliana.

3/   Pela los tomates después de haberlos escaldado unos segundos en agua hirviendo. Quítales las semillas y córtalos a dados.

4/   Pon a calentar el aceite a fuego medio en una olla. Pon la cebolla, déjala dorar 1 minuto removiendo y luego añade los calamares. Deja cocer 2 minutos más, salpimienta y añade la cayena, los dientes de ajo enteros (sin pelar) y el ramo de hierbas. Prolonga la cocción 3 minutos.

5/   Añade los tomates, tapa, baja el fuego y deja que se haga a fuego lento 30 minutos.

6/   Durante este tiempo, arranca las hojas de perejil, acláralas, escúrrelas y córtalas.

7/   En el momento de servir esparce el perejil picado sobre los calamares.

8/   Acompaña con arroz integral regado con un hilo de aceite de oliva.

Consejo

Si los tomates son muy ácidos, añade un poco de azúcar durante la cocción. Este plato también se puede preparar con calamarcitos congelados, los cuales hay que descongelar antes de cocerlos para que no suelten demasiada agua en la salsa de tomate.

TRIUNFO **PARA LA BELLEZA**

Las virtudes de este plato se deben a la asociación de los tomates, antioxidantes, y de los calamares, fuente de los nutrientes que la piel, las uñas y el cabello necesitan para mantenerse tonificados. El aceite de oliva crudo que se pone a última hora sobre el arroz aporta, por su parte, buenos ácidos grasos.

Ostras con juliana de espinacas y acedera

Ingredientes para 4 personas

2 docenas de ostras • 100 g de espinacas frescas • 1 ramo pequeño de acedera
10 g de nata fresca espesa • 1 cucharada sopera de pan rallado
2 pellizcos de nuez moscada
sal y pimienta

Preparación

1/ Precalienta el horno a 200 °C (termostato 6-7).

2/ Lava las espinacas y las hojas de acedera, quítales los tallos y córtalas en juliana.

3/ Abre las ostras, recupera sus jugos en un cuenco, sepáralas y déjalas en la valva más honda. Ponlas en una bandeja de horno sobre una capa de sal gorda.

4/ Filtra el agua de las ostras y añádele la nata fresca, la nuez moscada y la juliana de espinacas y acedera. Agrega abundante pimienta y mezcla bien.

5/ Pon 1 cucharada de esta preparación en cada ostra y espolvorea un poco de pan rallado. Lleva al horno y deja dorar 5 minutos.

6/ Sirve inmediatamente, acompañadas de una ensalada verde.

Consejo

Si utilizas ostras grandes, prolonga ligeramente el tiempo de cocción. Si te gustan los sabores ligeramente ácidos, puedes preparar estas ostras únicamente con la juliana de acedera.

TRIUNFO PARA LA BELLEZA

Las ostras son una de las principales fuentes de zinc. Este nutriente es esencial para la calidad de la piel: previene la aparición de granos y favorece la regeneración celular. También es esencial para las uñas. Las ostras aportan, al mismo tiempo, otros minerales de los que la piel está ávida, sobre todo calcio, magnesio y selenio.

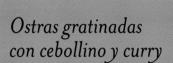

Ostras gratinadas con cebollino y curry

ostras

huevos

Ingredientes para 4 personas

2 docenas de ostras • 1 manojo de cebollino
2 claras de huevo • 2 cucharadas soperas de nata fresca espesa
½ cucharadita de café de curry en polvo
sal y pimienta

Preparación

1/ Precalienta el horno a 200 °C (termostato 6-7).

2/ Enjuaga el cebollino, escúrrelo y córtalo fino.

3/ Abre las ostras, recupera sus jugos en un cuenco, sepáralas y déjalas en la valva más honda. Ponlas en una bandeja de horno sobre una capa de sal gorda.

4/ Filtra el agua de las ostras. Añádele la nata fresca y las claras de huevo. Bate con fuerza con un batidor para obtener una emulsión. Añádele el curry y el cebollino. Pon pimienta y mezcla bien.

5/ Pon una cucharada de esta preparación en cada ostra. Lleva al horno y deja dorar 5 minutos.

6/ Sirve inmediatamente, acompañadas de verduritas crujientes cocidas al vapor de curry.

Consejo

Sé razonable con el curry: no debe cubrir el sabor de las ostras. Si dispones del tiempo suficiente, puedes montar la preparación a base de huevo y curry al baño María. Será más espumosa.

TRIUNFO PARA LA BELLEZA

Las virtudes de este plato se parecen a las de la receta de la página 85: las ostras son una mina de minerales útiles para la piel, las uñas y el cabello. Se unen aquí las yemas de huevo, que refuerzan el aporte en cisteína, y el curry, desinfectante digestivo que contribuye a la tersura del cutis.

Bocaditos de col lombarda y frutos secos

Ingredientes para 4 personas

12 hojas grandes de col lombarda • 400 g de albaricoques frescos
2 cucharadas soperas de queso fresco batido • 1 puñado de avellanas peladas
1 puñado de nueces • 2 cucharadas soperas de piñones
2 cucharadas soperas de aceite de girasol
sal y pimienta

Preparación

1/ Blanquea la col unos minutos en agua caliente para poder separar las hojas.

2/ Enjuaga las hojas de col lombarda y quítales los lados gruesos. Pon a calentar agua en la parte baja de una vaporera. Cuando hierva, baja el fuego y coloca la cesta perforada con las hojas de col. Déjalas cocer 10 minutos.

3/ Durante este tiempo, lava los albaricoques, quítales el hueso y tritúralos con el queso fresco hasta obtener una crema bien fina. Salpimienta, mezcla y reserva.

4/ Pon a calentar una sartén antiadherente y añade las nueces y las avellanas. Deja que los frutos secos se doren unos minutos. Después pásalos por la trituradora y añádelos al puré de albaricoques, así como los piñones enteros.

5/ Coloca una hoja de col sobre la superficie de trabajo, pon en el centro una cucharada sopera grande de relleno y luego cierra la hoja de manera que forme un paquetito, el cual atarás con ayuda de hilo de cocina. Procede de la misma forma con el resto de las hojas.

6/ Pon a calentar el aceite en una sartén grande a fuego medio. Dispón los bocaditos de col lombarda y déjalos dorar 5 minutos por cada lado.

7/ Sirve caliente, acompañando pollo o carnes blancas.

Consejo

Este plato puede igualmente acompañarse de cordero rustido o asado. Puedes preparar los bocaditos por adelantado y dorarlos en la sartén en el último momento.

TRIUNFO PARA LA BELLEZA

Los frutos secos aportan muchos ácidos grasos esenciales que contribuyen a la renovación de las paredes celulares cutáneas, manteniendo así la suavidad de la piel. Los albaricoques y la col lombarda están cargados de antioxidantes que protegen contra los efectos del envejecimiento.

Puré de apionabo al azafrán

Ingredientes para 4 personas

1 apionabo • 2 cucharadas soperas de aceite de sésamo
½ cucharadita de café de jengibre en polvo • 1 porción de azafrán en polvo
sal y pimienta

Preparación

1/ Pela el apionabo y córtalo a dados pequeños. Pon a calentar agua en la parte baja de una vaporera. Cuando hierva, baja el fuego y coloca encima la cesta perforada con los dados de apionabo. Déjalos cocer 30 minutos.

2/ Cuando los dados estén bien tiernos, pásalos por la batidora con el jengibre, el azafrán y el aceite de sésamo hasta obtener un puré bien fino. Salpimienta y bate de nuevo.

3/ Ponlo en un plato hondo y espolvoréalo con una pizca de azafrán en polvo.

Consejo

Aunque tiene un sabor fuerte, el apionabo marida bien con numerosas especias. Puedes también perfumar este puré con una mezcla de canela y comino, de curry o de anís estrellado. Puedes igualmente variar su sabor empleando otros aceites: de nuez, de avellana, de argán…

TRIUNFO PARA LA BELLEZA
Este puré es una verdadera cura para desintoxicar nuestro interior y contribuye a aclarar el cutis. La medicina tradicional india aconseja el azafrán para acelerar la regeneración de los tejidos. El jengibre, tonificante, ayuda a fortalecer la piel y el cabello.

Pasta con nueces y parmesano

Ingredientes para 4 personas

400 g de pasta integral • 2 puñados grandes de nueces trituradas
3 cucharadas soperas de nata fresca líquida • 70 g de parmesano rallado fino
2 cucharadas soperas de aceite de nuez • 1 pizca de nuez moscada rallada
sal y pimienta

Preparación

1/ Pon a calentar agua con sal en una olla grande. Cuando hierva, añade la pasta en forma de lluvia y déjala cocer 10 minutos.

2/ Durante este tiempo, prepara la salsa vertiendo en el recipiente de tu batidora las nueces, el aceite, la nata fresca, la nuez moscada y el parmesano. Bate hasta obtener una crema un poco grumosa. Salpimienta.

3/ Cuando la pasta esté cocida, escúrrela solo un poco y viértela en un plato. Nápala con la salsa y mezcla.

4/ Sirve inmediatamente, acompañado de carne.

Consejo

Esta pasta puede constituir un plato principal. En este caso, aumenta un poco las proporciones: 500 g de pasta, 4 cucharadas soperas de nata fresca y 3 de aceite de nuez. Completa bien un entrante rico en proteínas (tortilla o ensalada de calamares, por ejemplo).

TRIUNFO PARA LA BELLEZA

La pasta integral aporta al organismo glúcidos lentos. Todas las células los necesitan, incluidas las de la piel, las uñas y el cabello. La nuez y el aceite de nuez son proveedores de ácidos grasos esenciales que contribuyen a preservar la elasticidad de la piel.

Timbal de berenjenas con mozzarella

Ingredientes para 4 personas

1 berenjena grande • 2 tomates
2 cucharadas soperas de aceitunas negras sin hueso
3 dientes de ajo • 200 g de mozzarella • 2 pellizcos de romero
2 cucharadas soperas de aceite de oliva
sal y pimienta

Preparación

1/ Precalienta el horno a 180 °C (termostato 6).

2/ Lava la berenjena, quítale el pedúnculo y luego córtala en rodajas de aproximadamente ½ cm de espesor sin pelarla.

3/ Coloca las rebanadas bien horizontales en una bandeja de horno que habrás espolvoreado con un poco de sal gorda. Lleva al horno 5 minutos, luego dale la vuelta a las rodajas y déjalas hornear 5 minutos más por el otro lado.

4/ Durante este tiempo, corta la mozzarella en ocho trozos regulares. Pela los dientes de ajo y redúcelos a puré con la prensa de ajos. Pela los tomates después de haberlos escaldado en agua hirviendo unos segundos, retírales las semillas y córtalos a dados. Escurre bien las olivas y pícalas toscamente.

5/ Pon a calentar el aceite a fuego medio en una sartén grande, añade el puré de ajo, las aceitunas picadas y luego los dados de tomate. Salpimienta y agrega el romero. Deja cocer 15 minutos sin tapar para que el agua de los tomates se evapore.

6/ En cuatro moldes individuales aptos para el horno pon una rebanada de berenjena asada, una capa de tomates y un trozo de mozzarella. Repite la operación una segunda vez.

7/ Lleva al horno los timbales por espacio de 20 minutos.

8/ Cómelos calientes acompañados de carne o de pescado.

Consejo

Si no tienes moldes individuales, puedes preparar los timbales en una bandeja grande. En este caso, puedes poner tres capas alternas de berenjena, tomate y mozzarella. Habrá que prolongar un poco la cocción (no más de 30 minutos para que no se sequen demasiado).

TRIUNFO PARA LA BELLEZA

Este plato es un concentrado de nutrientes que favorecen la belleza de la piel y del cabello: antioxidantes, vitaminas... Se les unen las proteínas de la mozzarella, los ácidos grasos de las olivas y las virtudes circulatorias del ajo.

Pasta con marisco

Ingredientes para 4 personas

400 g de pasta integral • 400 g de calamares
300 g de colas de gamba peladas y cocidas • 1 kg de mejillones • 3 dientes de ajo
1 ramo pequeño de perejil • 50 g de parmesano entero • 3 cucharadas soperas de aceite de oliva
1 pizca de cayena en polvo
sal y pimienta

Preparación

1/ Lava los mejillones y ponlos a cocer en una olla grande a fuego medio 15 minutos. Cuando se hayan abierto, escúrrelos conservando los jugos de la cocción, que se filtrarán con cuidado.

2/ Retira los mejillones y tira las valvas. Resérvalos.

3/ Limpia los calamares y córtalos en rodajas. Pela los dientes de ajo y córtalos en juliana. Arranca las hojas de perejil, aclásalas, escúrrelas y córtalas toscamente.

4/ Pon a calentar 1 cucharada sopera de aceite de oliva a fuego medio en una sartén grande, añade el ajo en juliana y déjalo dorar 1 minuto removiendo. Agrega las rodajas de calamar, sala ligeramente, pon pimienta y deja cocer 10 minutos vigilando.

5/ Cuando los jugos de los calamares se hayan evaporado, añade los mejillones y las colas de gamba. Mezcla bien, agrega el perejil y la cayena. Deja cocer 3 minutos más.

6/ Pon a calentar agua con sal en una olla grande. Cuando hierva añade la pasta en forma de lluvia y déjala cocer 10 minutos.

7/ Escurre la pasta y ponla en un plato hondo. Vierte por encima la preparación de marisco y el resto del aceite de oliva.

8/ Adornar la superficie con virutas de parmesano. Sirve inmediatamente.

Consejo

Esta pasta constituye un plato completo. Sírvela después de una entrada a base de verduras: ensalada, verduras asadas… Si utilizas gambas congeladas, ponlas a descongelar antes de agregarlas a la preparación. Puedes sustituir el perejil por albahaca.

TRIUNFO PARA LA BELLEZA

¡He aquí un verdadero cóctel para la belleza! Ácidos grasos (en el aceite de oliva crudo), proteínas (en los mariscos) y minerales (zinc, cobre, hierro…) se asocian para preservar la calidad de las células cutáneas, de las uñas y del cabello. Por otro lado, el perejil es muy rico en vitamina C, que favorece la regeneración celular.

Compota de tomates y pimientos rojos

Ingredientes para 4 personas

2 pimientos rojos grandes
4 tomates • 3 estrellas de anís • 8 dientes de ajo
2 cucharadas soperas de aceite de oliva
sal y pimienta

Preparación

1/ Precalienta el horno a 140 °C (termostato 4-5).

2/ Lava los pimientos, córtalos en dos, quítales las semillas y luego córtalos a tiras.

3/ Pela los tomates después de haberlos escaldado unos segundos en agua hirviendo, quítales las semillas y córtalos a dados.

4/ Mezcla las tiras de pimiento y los dados de tomate. Salpimienta, añade las estrellas de anís y los dientes de ajo sin pelar. Vierte aceite de oliva en forma de hilo y mezcla de nuevo.

5/ Vierte la preparación en un molde de horno. Vigila que los dientes de ajo y los anises se repartan de manera homogénea y apriétala con ayuda del dorso de una cuchara.

6/ Lleva al horno al menos durante dos horas, hasta que las hortalizas estén bien confitadas.

7/ Sírvela caliente o fría acompañando carne o pescado.

Consejo

No dudes en prolongar la cocción de este plato. La temperatura suave del horno permite que no se dañen los nutrientes contenidos en los pimientos y los tomates. En el momento de servir puedes retirar los dientes de ajo y aplastarlos a fin de extraer su carne, la cual untarás en rebanadas de pan tostado.

TRIUNFO PARA LA BELLEZA

Los tomates y los pimientos están repletos de sustancias antioxidantes: licopeno, vitaminas, betacaroteno... Por otro lado, estas hortalizas ayudan a drenar del organismo las toxinas que estropean el cutis.

Berenjenas con miel y limón

Ingredientes para 4 personas

4 berenjenas • 2 limones • 6 dientes de ajo
2 estrellas de anís • 2 cucharadas soperas de miel
2 cucharadas soperas de aceite de oliva
sal y pimienta

Preparación

1/ Precalienta el horno a 160 °C (termostato 5-6).

2/ Lava las berenjenas, quítales el pedúnculo y córtalas en rodajas de al menos 1 cm de espesor.

3/ Retira la piel del limón, colócala en una cacerola con las estrellas de anís, cubre apenas con agua y déjala cocer a fuego lento hasta que esté tierna. Después escúrrela y córtala en juliana.

4/ Exprime los limones. En el zumo añade la miel y el aceite de oliva. Salpimienta.

5/ En una bandeja de horno coloca una primera capa de berenjenas, cúbrela con juliana de piel de limón y riégala con la mitad de la preparación a base de miel. Reparte 3 dientes de ajo sin pelar y luego dispón otra capa de berenjenas. Cubre con el resto de la piel de limón y de la salsa y con los últimos dientes de ajo.

6/ Lleva al horno durante al menos una hora y media.

7/ Sirve este plato caliente o frío.

Consejo

Caliente, este plato acompaña de maravilla al pescado asado. Frío causará sensación en los bufets de verano. Ofrece la ventaja de poder ser preparado con mucha antelación, incluso de un día para otro.

TRIUNFO **PARA LA**
BELLEZA
El zumo de limón proporciona vitamina C, indispensable para la juventud de la piel. Las berenjenas aportan minerales que favorecen su tersura. El ajo y el aceite de oliva completan este aporte.

Carlota de albaricoques y arándanos

Ingredientes para 4 personas

400 g de albaricoques frescos • 2 bandejas de arándanos
1 naranja • 3 cucharadas soperas de miel • 6 ramas de menta fresca
1 bizcocho grande largo cortado (de 400 g aproximadamente)

Preparación

1/ Lava los albaricoques, quítales el hueso y córtalos en juliana.

2/ Enjuaga los arándanos y mézclalos con la juliana de albaricoque, conservando 2 cucharadas soperas para la presentación.

3/ Arranca las hojas de menta, acláralas, escúrrelas y córtalas.

4/ Exprime la naranja. En su zumo, vierte la miel y mezcla bien. Añade la menta cortada.

5/ Agrégalo todo a las frutas y deja reposar al menos dos horas en la nevera.

6/ Elige un plato redondo de bordes altos (molde, ensaladera…) de como máximo 20 cm de diámetro. Cubre el fondo y los bordes con trozos de bizcocho, luego vierte en el centro la preparación a base de frutas y termina con una última capa de bizcocho. Aprieta bien. Mantenlo así colocando sobre la carlota un plato con un peso encima.

7/ Conserva en la nevera al menos seis horas.

8/ En el momento de servir, desmolda la carlota y adórnala por encima con el resto de los arándanos.

Consejo

Para que la carlota sea todo un éxito, el bizcocho tiene que impregnarse bien de los jugos de las frutas. Si en el momento de desmoldar vieras partes de bizcocho secas, prepara un jarabe con el zumo de media naranja y un poco de miel y viértelo por encima de la carlota. Puedes preparar este postre con melocotones y frambuesas, nectarinas y grosellas… También es delicioso con fresas y albahaca. Compra el bizcocho preferentemente en panadería o pastelería: cuanto mejor calidad tenga, más sabroso será el postre.

TRIUNFO PARA LA BELLEZA

Albaricoques y arándanos son verdaderas minas contra el envejecimiento: protegen la piel contra los estragos del tiempo. El zumo de naranja aporta un excedente de vitamina C. El bizcocho proporciona los glúcidos indispensables, sobre todo si es de buena calidad. La menta da un pequeño toque tonificante.

Tarta fina con ciruelas claudias y cúrcuma

Ingredientes para 4 personas

500 g de ciruelas claudias • 1 limón
6 hojas de pasta brik • 3 cucharadas soperas de miel
1 cucharadita de café rasa de cúrcuma en polvo

Preparación

1/ Precalienta el horno a 180 °C (termostato 6).

2/ Lava las ciruelas claudias, córtalas en dos y quítales el hueso. Ponlas en una bandeja de horno con la cara cortada hacia abajo y hornea unos 15 minutos para que suelten toda el agua.

3/ Durante este tiempo, exprime el limón. En el zumo, vierte la miel y la cúrcuma. Mezcla bien.

4/ En la rejilla del horno, extiende una hoja de papel de aluminio y luego una de papel vegetal. Dispón encima una hoja de pasta brik. Úntala con ayuda de un pincel con la preparación a base de miel y luego coloca otra hoja de pasta y úntala también. Repite la misma operación hasta acabar con las hojas de pasta brik.

5/ Saca las ciruelas del horno, levántalas una a una cuidadosamente con ayuda de una espátula y colócalas una junto a otra sobre las hojas de pasta brik.

6/ Aumenta la temperatura del horno a 200 °C (termostato 6-7). Hornea la tarta 10 minutos.

7/ Sirve inmediatamente, acompañada de una bola de helado de vainilla o de crema batida.

Consejo

Si la preparación a base de miel te parece demasiado espesa para poderla untar con el pincel, añade un poco de agua o de zumo de limón. Si te queda todavía un poco cuando hayas terminado, redúcela a fuego lento y agrégale unas cuantas cucharadas de queso fresco batido para acompañar la tarta. Puedes variar el espesor de la pasta aumentando o disminuyendo el número de hojas de pasta brik.

TRIUNFO PARA LA BELLEZA

El principal triunfo de este postre se debe a la composición nutricional de las ciruelas. Ligeramente diuréticas, ayudan a la buena eliminación de los residuos del cuerpo, lo que aclara el cutis. Aportan glúcidos indispensables para las células cutáneas. Constituyen también una fuente importante de cobre, que protege contra las reacciones alérgicas cutáneas.

Compota de albaricoques con rosas y albahaca

Ingredientes para 4 personas

1 kg de albaricoques • 1 cucharada sopera de agua de rosas
2 cucharadas soperas de miel líquida • 3 ramas de albahaca
1 cucharadita de café de mantequilla • 1 limón

Preparación

1/ Lava los albaricoques, córtalos en dos y quítales el hueso.

2/ Arranca las hojas de albahaca, acláralas, escúrrelas y córtalas finas.

3/ Derrite la mantequilla a fuego lento en una olla. Añade los albaricoques, tapa y déjalos cocer 5 minutos, vigilando para que no se peguen.

4/ Durante este tiempo, exprime el limón y añade el agua de rosas y la miel. Mezcla bien y vierte en la olla. Remueve, tapa y deja hacer a fuego lento por lo menos 30 minutos removiendo de vez en cuando con cuidado a fin de que los albaricoques no se deshagan.

5/ Vierte la compota en una bandeja y conserva en la nevera hasta el momento de servir.

6/ Adorna entonces la compota con la albahaca cortada y acompáñala de galletas secas o macarrones perfumados con rosas.

Consejo

Si tienes rosas en tu jardín, puedes esparcir unos cuantos pétalos, enjuagados con cuidado, por encima de la compota. Si preparas esta compota con albaricoques muy maduros, puedes disminuir la cantidad de miel o suprimir por completo este ingrediente.

TRIUNFO PARA LA BELLEZA

El betacaroteno de los albaricoques es indispensable no solo para la piel, sino también para el cabello, que se mantendrá flexible y brillante. La rosa es un suavizante remarcable. El limón refuerza el aporte de vitamina C, que estimula la regeneración celular y el crecimiento del cabello.

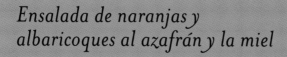

Ensalada de naranjas y albaricoques al azafrán y la miel

Ingredientes para 4 personas

400 g de albaricoques • 3 naranjas
2 cucharadas soperas de miel • 1 porción de azafrán en polvo
¼ de cucharadita de café de canela en polvo

Preparación

1/ Retira con cuidado la piel de la naranja. Aclárala, córtala en juliana y ponla en una cacerola con 1 cucharada sopera de miel y 2 de agua. Ponla a calentar a fuego lento hasta que la juliana esté tierna.

2/ Exprime la naranja que has pelado. Incorpora al zumo las especias y la otra cucharada de miel. Mezcla bien.

3/ Cuando la piel esté cocida vierte esta preparación, fuera del fuego, en la cacerola, mezcla bien y déjala reposar.

4/ Pela las otras dos naranjas, separa los gajos y quítales la membrana trasparente. Ponlas en un plato hondo.

5/ Lava los albaricoques, córtalos en dos, quítales el hueso y córtalos a cuartos. Añádelos a las naranjas.

6/ Vierte por encima de la fruta el contenido tibio de la cacerola y mezcla bien.

7/ Sirve inmediatamente, acompañado de una teja de almendras.

Consejo

Vigila que el jarabe especiado esté a la temperatura correcta cuando lo viertas sobre las frutas: demasiado caliente, estas se «cocerán», demasiado frío, no las napará lo suficiente. Debe estar a la temperatura de tu dedo cuando lo metas en él. Elige naranjas con gajos densos, tipo navel o de ombligo, por ejemplo. Y sobre todo, ten cuidado de que sean de cultivo orgánico, sin productos químicos.

TRIUNFO PARA LA BELLEZA

Este postre es una mina de vitaminas buenas, sobre todo de vitamina C. Los albaricoques aportan además un poco de hierro, que sonrosan el cutis, y de calcio, que mantiene la suavidad de la piel. La canela y el azafrán tonifican y mejoran la asimilación de los otros nutrientes.

Sopa de frutos rojos y granizado de rosas

Ingredientes para 4 personas

1 bandeja de frambuesas • 1 bandeja de arándanos
1 bandeja de grosellas • 2 cucharadas soperas de miel
1 cucharada sopera de agua de rosas • 1 puñado grande de pétalos de rosa
1 cucharada sopera de azúcar moreno

Preparación

1/ Desgrana las grosellas. Acláralas al mismo tiempo que las frambuesas y los arándanos, luego escúrrelas y ponlas en una ensaladera con el azúcar moreno. Mezcla bien y conserva en la nevera por lo menos tres horas para que las frutas suelten sus jugos.

2/ Enjuaga los pétalos de rosa y córtalos toscamente.

3/ Pon a calentar medio litro de agua. Cuando hierva, sumerge los pétalos de rosa cortados, así como el agua de rosas y la miel. Mezcla bien y deja entibiar.

4/ Cuando la preparación esté a temperatura ambiente, viértela en un recipiente y ponla en el congelador. Cada cuarto de hora remuévela enérgicamente con un tenedor a fin de que el hielo no forme un bloque sino pequeños cristales.

5/ En el momento de servir, presenta sobre un plato un tazón pequeño de frutos rojos y una bola de granizado de rosas.

Consejo

Los frutos rojos tienen un sabor ácido que marida bien con el dulzor de la rosa. Sin embargo, si esta acidez te molesta, puedes aumentar la cantidad de azúcar. Este postre se puede preparar con frutos rojos congelados, que sueltan mucho líquido al descongelarse.

TRIUNFO PARA LA BELLEZA

Los arándanos, las frambuesas y las grosellas están repletos de sustancias antioxidantes que protegen la piel contra los radicales libres. La miel y el azúcar moreno aportan glúcidos y los pétalos de rosa liberan en el granizado sus compuestos suavizantes.

MI COCINA PARA LA BELLEZA

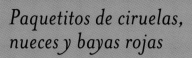

Paquetitos de ciruelas, nueces y bayas rojas

ciruelas *huevos* *nueces*

Ingredientes para 4 personas

400 g de ciruelas • 1 yema de huevo
4 hojas de pasta brik • 2 puñados de nueces trituradas
1 cucharadita de café de bayas rojas enteras
2 cucharadas soperas de miel

Preparación

1/ Precalienta el horno a 180 °C (termostato 6).

2/ Lava las ciruelas, córtalas en dos y quítales el hueso. Ponlas una al lado de la otra en una bandeja de horno con la cara cortada hacia abajo. Hornea 15 minutos para que suelten el agua.

3/ Durante este tiempo, pon a entibiar en una cacerola a fuego muy lento la miel con un poco de agua para formar un jarabe espeso.

4/ Tritura toscamente las nueces y añádelas al jarabe, al igual que las bayas rojas enteras. Deja reducir hasta obtener una pasta.

5/ Saca las ciruelas del horno y déjalas entibiar a temperatura ambiente.

6/ Extiende una hoja de papel vegetal sobre la bandeja del horno.

7/ En la superficie de trabajo, dispón una hoja de pasta brik. Pon en el centro 1 cucharada sopera de pasta de nueces y miel, extiéndela y después coloca por encima algunas mitades de ciruela, las cuales habrás cogido con cuidado ayudándote de una espátula. Dobla los bordes de la hoja de pasta brik de manera que formes un paquetito, el cual cerrarás con un palillo. Procede de la misma manera con el resto de los ingredientes.

8/ Pon los cuatro paquetitos sobre la bandeja del horno, píntalos con un pincel con la yema de huevo ligeramente diluida y luego hornea 10 minutos.

9/ Deja entibiar unos minutos antes de servir.

Consejo

Las bayas rojas dan un perfume delicadamente picante a este postre muy dulce. Si no te gusta su sabor fuerte, las puedes sustituir por una rama de canela que retirarás de la preparación antes de hacer los paquetitos. No elijas ciruelas demasiado maduras a fin de que no se deshagan demasiado.

TRIUNFO PARA LA BELLEZA

Este postre aporta mucha energía a las células cutáneas y al cabello. Las nueces son un excelente proveedor de ácidos grasos esenciales de los que los tejidos están ávidos. Las ciruelas aportan sus vitaminas, así como cobre, a las virtudes antialérgicas.

Pastel de zanahoria a la naranja

Ingredientes para 4 personas

300 g de zanahoria • 1 naranja • 3 huevos
50 g de harina integral • ½ sobrecito de levadura • 100 g de avellanas molidas
100 g de almendras molidas • 1 cucharadita de café de canela en polvo • 70 g de azúcar moreno
5 cl de aceite de girasol

Preparación

1/   Precalienta el horno a 180 °C (termostato 6).

2/   Pela las zanahorias y rállalas muy finas.

3/   Lava la naranja y ralla su cáscara. Después exprime la pulpa y vierte en su zumo el aceite de girasol. Mezcla bien.

4/   Rompe los huevos en una ensaladera, añade el azúcar moreno y bátelo todo hasta obtener una crema. Agrega el zumo de naranja con aceite y mezcla.

5/   En una ensaladera, mezcla las almendras y las avellanas molidas, la harina, la levadura y la canela. Mezcla bien. Vierte esta preparación en los huevos batidos y remueve hasta obtener una mezcla homogénea. Añade las zanahorias y la ralladura de naranja y mezcla bien.

6/   Unta con mantequilla un molde de pastel y vierte en él la preparación. Lleva al horno por espacio de 45 minutos.

7/   Deja entibiar antes de servir, acompañado de un poco de ensalada de fruta.

Consejo

Las zanahorias deben estar ralladas muy finas a fin de que se deshagan durante la cocción. Si solo tienes zanahorias demasiado duras, cuécelas ligeramente al vapor y luego pásalas por la batidora para obtener un puré. Procede de la misma manera para preparar un pastel con rodajas de zanahoria congelada. Elige naranjas de cultivo biológico, sin productos químicos. Para variar el sabor de este postre, puedes añadir jengibre en polvo y decorarlo con un poco de jengibre confitado.

TRIUNFO PARA LA BELLEZA
El betacaroteno de las zanahorias es bueno tanto para la piel como para el cabello, que se mantendrá suave, brillante y fuerte. Las almendras y las avellanas aportan sus ácidos grasos esenciales, así como un poco de vitamina E. La harina integral proporciona vitaminas del grupo B, que son particularmente importantes para la calidad del pelo y la dureza de las uñas.

>>> # ANEXOS

>>> ## Lo que siempre debemos tener en casa

Para que el contenido de los platos sea siempre compatible con la conservación de la belleza, deberemos echar mano de algunos ingredientes complementarios: sal, pimienta, especias, hierbas aromáticas, aceites vegetales... Además de satisfacer nuestro paladar, nos harán resplandecer.

>>> ### Los aceites vegetales

No hay cocina para la belleza sin buenos aceites vegetales. Mientras que las grasas animales pueden ser nefastas, taponando nuestras arterias, aumentando el almacenaje en las células grasas y obstruyendo nuestros órganos de eliminación, los aceites crudos son indispensables para el buen estado general del organismo. Nos protegen contra los efectos negativos del paso del tiempo para la salud de nuestra piel, cabellos y uñas.

No existe un aceite más graso o menos graso que otro. Todos están compuestos por lípidos que tienen aproximadamente la misma densidad calórica (más o menos 880 calorías por cada 100 g). La diferencia entre los distintos aceites reside en la composición de sus ácidos grasos esenciales monoinsaturados o poliinsaturados (la familia a la que pertenecen los famosos omega-3 y omega-6). Variando los tipos de aceite que se consumen, estaremos variando la composición de los ácidos grasos esenciales que aportaremos al organismo.

Es una buena manera de cubrir las necesidades sin pensar en ello.

Vale más utilizar aceites vegetales de primera presión en frío (si es posible ecológicos), porque la extracción del aceite mediante calentamiento destruye una parte de los ácidos grasos, muy frágiles y poco resistentes a las altas temperaturas. Por la misma razón, lo más conveniente es consumirlos en crudo. Cuando tenemos necesidad de calentar un cuerpo graso, deberemos utilizar un aceite de sabor neutro que resista bien la temperatura (como el de cacahuete o el de girasol) y añadir, al final de la cocción, otro tipo de aceite crudo que incorpore todos sus nutrientes y su particular sabor.

ACEITE DE CACAHUETE	aporta sobre todo ácidos grasos monoinsaturados.
ACEITE DE MAÍZ	es rico en ácido oleico y en ácido linoleico.
ACEITE DE NUECES	es rico, sobre todo, en ácido linoleico.
ACEITE DE OLIVA	es el campeón del ácido oleico.
ACEITE DE SÉSAMO	está bien equilibrado en ácido oleico y linoleico, pero contiene muy poco ácido alfalinolénico.
ACEITE DE SOJA	completa bien al aceite de sésamo, puesto que aporta ácido oleico y ácido alfalinolénico.
ACEITE DE GIRASOL	aporta un poco de ácido alfalinolénico y de ácido oleico, y sobre todo una buena cantidad de ácido linoleico.
ACEITE DE CÁRTAMO	es rico en ácido linoleico y aporta un poco de ácido oleico.
ACEITE DE AVELLANA	es rico en ácido oleico.
ACEITE DE SEMILLAS DE UVA	aporta, sobre todo, ácido linoleico.

Los vinagres

El empleo medicinal del vinagre se daba ya en la antigüedad. Se utilizaba tanto para luchar contra la fiebre como para limpiar llagas. Posee, pues, una acción antibacteriana directa. Cuando lo consumes, el vinagre cambia su modo de actuar. Contribuye al mantenimiento del equilibrio ácido-básico del medio interior, lo cual es importante para garantizar una respuesta inmunitaria rápida y eficaz. En la cocina, puedes variar los vinagres: vinagre de sidra aromatizado con miel o jengibre; vinagre de vino natural o aromatizado con higos, frambuesas, cebollas, nueces... O vinagre balsámico, menos ácido y más gustoso, que se puede tomar solo o mezclado con las variedades anteriores.

La salsa de soja

Permite aromatizar naturalmente algunos platos. Antes de comprar la salsa de soja debemos verificar en la etiqueta que no contiene aditivos químicos.

El pan natural

El pan es un alimento bastante completo que podemos consumir durante una ingesta a condición de que esta no contenga otros glúcidos lentos. Es mejor el pan integral o semiintegral, porque el proceso de refinado que se requiere para que la harina sea blanca elimina gran parte de los nutrientes, que están contenidos en el envoltorio del grano de trigo. Además, el refinado convierte los glúcidos en rápidos, más rápidamente asimilables y, por lo tanto, menos interesantes desde el punto de vista nutricional. Y lo más importante: compremos el pan elaborado con levadura natural. Esta levadura, preparada a partir de pasta de pan fermentada, contiene hongos microscópicos que predigieren ciertos elementos nutritivos del trigo haciéndolo mucho más asimilable. La levadura química provoca un aumento de la masa de pan que se parece al de la levadura, pero no produce transformación alguna de las sustancias difíciles de asimilar.

La miel

Sustituye ventajosamente al azúcar blanco en la preparación de postres. Aunque esté compuesta por un 99 % de azúcar, se trata de glucosa y fructosa mezcladas, que solicitan las funciones del páncreas de manera menos brutal. La miel contiene pocas vitaminas pero aporta minerales. Su sabor permite realzar el sabor de las ensaladas de frutas o de las cremas caseras.

Los brotes germinados

La germinación provoca un aumento del valor nutricional de las semillas. Crudos, en ensalada o en potajes, constituyen una mina de minerales y vitaminas que contribuyen al mantenimiento de la belleza.

La mantequilla

Es una fuente importante de vitamina A. Un poco de mantequilla cruda de buena calidad no puede perjudicar tus arterias. Evita cocerla y añádela al final de la cocción sobre la pasta, la verdura al vapor… Pero no abuses de ella.

El té

El té, en todas sus formas, proporciona una buena protección contra los efectos de la edad. Contiene taninos, cuya composición es similar a la del polifenol presente en las pepitas de uva. El té verde es más rico en taninos que el negro porque no ha sufrido fermentación antes de ser secado. Permite controlar naturalmente las tasas de colesterol en sangre. Las investigaciones demuestran que contribuye a la prevención de algunos cánceres.

ANÍS ESTRELLADO	estimula la digestión y la asimilación de los nutrientes, contribuyendo al equilibrio de la piel.
CLAVO	tiene una acción al mismo tiempo calmante y ligeramente tonificante que ayuda a prevenir el estrés y a irradiar belleza.
COMINO	estimula la digestión y facilita la asimilación de los nutrientes. Esta cualidad es muy útil para la piel, las uñas y los cabellos, que estarán bien nutridos.
CÚRCUMA	generalmente en polvo, contiene un pigmento (la curcumina) con virtudes antioxidantes y protectoras.
JENGIBRE	tonificante mundialmente conocido, contribuye a dinamizar y purificar la piel. Estimula todas las funciones, también las cutáneas. El jengibre se utiliza fresco, rallado o seco en polvo.
LA NUEZ MOSCADA	tiene una acción calmante y ligeramente tonificante, que facilita el sueño y mejora mucho su calidad.

ALBAHACA	es una planta digestiva con poder calmante.
CILANTRO	es digestivo y tonificante al mismo tiempo. Dinamiza la piel y el cabello, previniendo las digestiones lentas y laboriosas.
MENTA	como el cilantro, favorece la digestión y contribuye a la pureza del tono de la piel.
PEREJIL	rico en vitamina C, es un nutriente precioso muy valorado por el cerebro y que podemos añadir a todos los platos que no contengan mucha vitamina C.
PERIFOLLO	tonifica y mejora la circulación de la sangre, facilitando la función renal. Es un trío de acciones útiles para mantener la belleza en la vida cotidiana.
ROSA	es un verdadero producto de belleza interna. La reina de las flores tiene un fuerte poder suavizante y su acción sedante ayuda a evitar el estrés que rompe la belleza.
TOMILLO	es desinfectante del medio interno y contribuye a sanearlo, lo cual calma la piel y facilita sus numerosas funciones.
VERBENA	menos activa que la verbena medicinal, posee las mismas virtudes calmantes. Su agradable sabor a limón la convierte en una hierba aromática excelente para la cocina, que puede incorporarse tanto a platos salados como a postres dulces.

>>> ÍNDICE

Postres

APIONABO

ARÁNDANOS

BERENJENA

CALAMAR

AGRADECIMIENTOS

Doy las gracias a todos aquellos que,
de cerca o de lejos, me han conducido
a publicar estos libros:

A mi madre y mi tía, que me
iniciaron en el arte de la cocina.

A mis hijos, Alma, Basile y Jonas,
primeras cobayas de todas mis
recetas.

A los médicos e investigadores en
nutrición cuyas obras me han guiado
durante tantos años: la Dra.
Catherine Kousmine, el Dr. Jean-
Paul Curtay, y muchos otros…

El Dr. Yann Rougier, de quien hago
especial mención por su gentileza y
competencia.

Finalmente, a todo el equipo de
Éditions Minerva y particularmente a
Florence, Jeanne, Aurélie, Patricia…
por su entusiasmo y su
profesionalidad.

Título de la edición original Ma cuisine. Beauté
Es propiedad, 2008
© Éditions Minerva, Ginebra, Suiza

© de la edición en castellano, 2011:
Editorial Hispano Europea, S. A.
Primer de Maig, 21 – Pol. Ind. Gran Via Sud
08908 L'Hospitalet – Barcelona, España.
E-mail: hispanoeuropea@hispanoeuropea.com
Web: www.hispanoeuropea.com

© de la traducción: Pilar Guerrero

Depósito Legal: B. 5100-2011

ISBN: 978-84-255-1979-6

Consulte nuestra web:
www.hispanoeuropea.com

Impreso en España
T. G. Soler, S. A.
Enric Morera, 15
08950 Esplugues de Llobregat